EL25　　　NA　　　DANADN3 NNN　　0

612-778 <No. 3> 2976

O
homem
nu

DO AUTOR

OS GRILOS NÃO CANTAM MAIS, contos, Pongetti, 1941; Record, 3ª edição, 1984.

A MARCA, novela, José Olympio, 1944; Record, 3ª edição, 1984.

A CIDADE VAZIA, crônicas e histórias de Nova York, O Cruzeiro, 1950; 6ª edição, acrescida de *Medo em Nova York*, Editora Sabiá, 1969; Record, 9ª edição, 1992.

A VIDA REAL, novelas, Editora A Noite, 1952; Record, 7ª edição, 1994.

LUGARES-COMUNS, dicionário, MEC-Cadernos Cultura, 1952; Record, 3ª edição, 1984; Círculo do Livro, 1991.

O ENCONTRO MARCADO, romance, Civilização Brasileira, 1956; Record, 72ª edição, 2000.

O HOMEM NU, contos e crônicas, Editora do Autor, 1960; Record, 38ª edição, 2000.

A MULHER DO VIZINHO, crônicas, Editora do Autor, 1962; Record, 17ª edição, 1997.

A COMPANHEIRA DE VIAGEM, contos e crônicas, Editora do Autor, 1965; Record, 12ª edição, 1998.

A INGLESA DESLUMBRADA, crônicas e histórias da Inglaterra e do Brasil, Editora Sabiá, 1967; Record, 10ª edição, 1992.

GENTE, crônicas e reminiscências, Record, 1975; 4ª edição, 1996.

DEIXA O ALFREDO FALAR!, crônicas e histórias, Record, 1976; 15ª edição, 2000.

O ENCONTRO DAS ÁGUAS, crônica irreverente de uma cidade tropical, Record, 1977; 4ª edição, 1984.

O GRANDE MENTECAPTO, romance, Record, 1979; 58ª edição, 2000.

A FALTA QUE ELA ME FAZ, contos e crônicas, Record, 1980; 16ª edição, 1995.

O MENINO NO ESPELHO, romance, Record, 1982; 57ª edição, 2000.

O GATO SOU EU, contos e crônicas, Record, 1983; 18ª edição, 2000.

MACACOS ME MORDAM, conto em edição infantil, Record, 1984.

A VITÓRIA DA INFÂNCIA, crônicas e histórias, Editora Nacional, 1984; Ática, 1994; 4ª edição, 1997.

A FACA DE DOIS GUMES, novelas, Record, 1985; 14ª edição, 1999.

O PINTOR QUE PINTOU O SETE, história infantil, Berlendis & Vertecchia, 1987.

OS MELHORES CONTOS, seleção, Record, 1987; 8ª edição, 1999.

AS MELHORES HISTÓRIAS, seleção, Record, 1987; 6ª edição, 2000.

AS MELHORES CRÔNICAS, seleção, Record, 1987; 8ª edição, 2000.

MARTÍNI SECO, novela, Ática, 14ª edição, 2000.

O TABULEIRO DE DAMAS, esboço de autobiografia, Record, 1988; 5ª edição, 1999.

DE CABEÇA PARA BAIXO, relato de viagens, Record, 1989; 6ª edição, 1996.

A VOLTA POR CIMA, crônicas e histórias curtas, Record, 1990; 7ª edição, 1995.

ZÉLIA, UMA PAIXÃO, romance – biografia, Record; 8ª edição, 1991.

O BOM LADRÃO, novela, Ática, 8ª edição, 2000.

AQUI ESTAMOS TODOS NUS, novelas, Record, 1993; 4ª edição, 1998.

OS RESTOS MORTAIS, novela, Ática; 5ª edição, 2000.

A NUDEZ DA VERDADE, novela, Ática, 9ª edição, 2000.

COM A GRAÇA DE DEUS, leitura fiel do Evangelho, Record, 1994; 5ª edição, 1995.

O OUTRO GUME DA FACA, novela, Ática, 1996; 5ª edição, 2000.

OBRA REUNIDA – 3 vols., Nova Aguilar, 1996.

UM CORPO DE MULHER, novela, Ática, 1997; 3ª edição, 1999.

O HOMEM FEITO, novela, Ática, 1998.

AMOR DE CAPITU, recriação literária, Ática, 1998; 5ª edição, 2000.

NO FIM DÁ CERTO, crônicas e histórias, Record, 1998; 6ª edição, 2000.

O GALO MÚSICO, contos e novelas, Record, 1998; 2ª edição, 1999.

A CHAVE DO ENIGMA, crônicas e histórias, Record, 1999; 2ª edição, 2000.

Fernando Sabino

O homem nu

39ª EDIÇÃO

EDITORA RECORD
RIO DE JANEIRO • SÃO PAULO
2000

CIP-Brasil. Catalogação-na-fonte
Sindicato Nacional dos Editores de Livros, RJ.

Sabino, Fernando, 1923-
S121h   O homem nu / Fernando Sabino – 39ª ed. – Rio de
39ª ed.   Janeiro: Record, 2000.
          192p.   21cm

          1. Crônicas e contos brasileiros. I. Título.

76-0543   CDD – 869.93
                               CDU – 869.0(81)-94

Vinheta da capa:
BEA FEITLER

Copyright © 1960 by Fernando Sabino
Rua Canning, 22, apt° 703, 22081-040, Rio de Janeiro, RJ, Brasil.

DISTRIBUIDORA RECORD DE SERVIÇOS DE IMPRENSA S.A.
Rua Argentina 171 – Rio de Janeiro, RJ – 20921-380 – Tel.: 585-2000
Proibida a reprodução integral ou parcial em livro de qualquer espécie
ou outra forma de publicação sem autorização expressa do autor.

Impresso no Brasil

ISBN 85-01-91300-6

PEDIDOS PELO REEMBOLSO POSTAL
Caixa Postal 23.052
Rio de Janeiro, RJ – 20922-970

EDITORA AFILIADA

CONJUGAL

Telefonou para a irmã, indignada:
— Imagine que aquele sem-vergonha mandou aqui um ordenança para me avisar que ele não vem jantar, tem de ficar até mais tarde no quartel. Fiquei desconfiada, telefonei para o comandante e ele me disse que todos já foram embora, não tem ninguém mais no quartel! O que é que eu faço?
— Vem para cá — disse-lhe a irmã.

Mais velha e experiente, a irmã se dispôs a ajudá-la. Enquanto as duas jantavam, tentando concertar um plano, a esposinha se lastimava, chorosa entre garfadas:
— Nem dois meses de casada! Nunca pensei que ele fosse capaz de uma coisa dessas — me enganar dessa maneira!
— É assim que eles começam, minha filha — pontificou a outra, conformada no ceticismo, fruto das desilusões de um casamento já desfeito. — Mas chorar não resolve: vamos ver o que se pode fazer.

Você não deve deixar a coisa passar em brancas nuvens. Se não reagir, amanhã nem avisar ele manda.

— Imagine que o ordenança estava até com cara de riso! Foi o que me fez desconfiar.

A irmã começou a ditar-lhe instruções. Mastigando lentamente, ela escutava atenta, uma lágrima fácil ainda a equilibrar-se no rostinho mimoso. Findo o jantar, sentaram-se na sala, a irmã mais velha acendeu um cigarro, ofereceu outro à irmã mais nova. Tão perturbada se achava esta que, distraída, aceitou, embora até então nunca tivesse fumado. Logo à primeira tragada engasgou, aproveitando o acesso de tosse para romper em soluços:

— Ele deve ter uma amante! Nunca pensei!

— Tenha calma, minha filha — tranqüilizou a outra: — Você dá uma lição nele. Quando você saiu, disse aonde ia?

— Dizer a quem? Deixei um bilhete assim: "Roberto — eu vou sair — Vera Lúcia".

E Vera Lúcia apoiou o rosto na mão, fitando o espaço, pensativa:

— Eu devia ter aproveitado e dado uma busca nas coisas dele, para ver se descobria alguma coisa...

Eram onze horas quando as duas se dirigiram ao apartamento da esposa ultrajada. Logo ao chegar, tiveram uma surpresa: no bilhete deixado sobre a mesa, abaixo do recado "Roberto — eu vou sair — Vera Lúcia", estava escrito: "Eu também — Roberto". Vera Lúcia olhou a irmã interrogativamente: aquilo atrapalhava todos os planos.

— Nada disso: ele esteve aqui e tornou a sair, mas não tem importância. Você tem uma mala, das grandes?

Puseram a mala sobre a cama, ao lado de um monte de roupas e vestidos, tudo ainda do enxoval, e sentaram-se, à espera.

— E se ele não voltar? Vai ver que esteve aqui para mudar de roupa, buscar dinheiro. Vai ver que me abandonou. Olha só como ele escreveu aqui: "Eu também — Roberto", tranqüilamente, sem uma palavra de explicação! Meu Deus, que desilusão.

A vida é mesmo um mar de desilusões — era o que a outra, a experiente, parecia estar pensando, a olhar a irmã, entre irônica e compassiva. Ela, porém, ia navegando:

— Não liga pra isso não, minha filha. Os homens não prestam mesmo.

À meia-noite, afinal, chegou o que não prestava. Assim que ouviram o ruído da chave na porta as duas saltaram da cama e a esposa pôs-se a arrumar estabanadamente a mala. Ele, porém, não se dirigiu logo ao quarto. Tirou o paletó, jogou-o na cadeira e foi ao banheiro onde se aliviou, sem se lembrar de fechar a porta. Depois atravessou a sala assobiando, entrou na cozinha, abriu a geladeira, deu uma olhada, tornou a fechar. Atentas, as duas acompanhavam lá do quarto todos os seus passos. Comeu uma banana, atirou a casca no mármore da pia, ligou o gás. A irmã mais velha foi ver o que ele fazia, surpreendeu-o tentando requentar um café:

— Você por aqui? — estranhou ele, enquanto farejava o interior da cafeteira: — Este café deve estar de amargar. Quantas horas são?

— Meia-noite — respondeu a cunhada, imperturbável como uma esfinge. Ele desistiu do café, comeu outra banana, apanhou um palito e passou por ela, bocejando:

9

— Estou morto de sono.

No quarto, ao dar com a mala sobre a cama, voltou-se para a mulher, intrigado:

— Uê, quem é que vai viajar?

Ela se voltou, muito digna:

— Eu. Vou para casa de mamãe.

Ele riu:

— A essa hora? Sua mãe já deve estar dormindo.

Desconcertada, a esposinha o olhava sem saber o que fazer. Aquela reação fazia cair por terra o plano minuciosamente estudado. Quando ele, perplexo, perguntasse: "Por quê?", ela saltaria, dramática: "Porque não me casei para me sujeitar a..." e iria por aí afora. No fim ele, patético, pediria perdão, explicaria tudo, inventava umas mentiras, ela perdoava, a irmã iria embora e tudo se harmonizava — ele tendo aprendido sua lição. Em vez disso limitava-se a rir. Vera Lúcia olhava a irmã por cima do ombro do marido, como a perguntar: "E agora? O que é que eu faço?"

— Roberto, exijo uma explicação — improvisou ela, gravemente, plantando-se diante dele. A irmã aprovou com o olhar.

— De quê, minha filha?

— Onde você estava? — e ela o olhava com firmeza, como se da resposta dependesse o destino de ambos.

— Na cozinha — respondeu ele, cada vez mais intrigado. Olhou para a cunhada, como a pedir explicação.

— Não seja cínico! Eu quero saber onde você foi hoje à noite. É meu direito de esposa.

— Que brincadeira é essa? — e ele tornou a rir: — Parece novela de rádio! Ia haver instrução no quartel, não houve, estive aqui, você não estava, jantei com o Jorge, jogamos um buraco. Dei azar. Perdi quinhentas pratas.

Caminhou preguiçosamente até a cadeira, palitando os dentes, sentou-se, descalçou os sapatos com um suspiro de alívio:

— Tira essa mala da cama que eu quero dormir.

— Vou para a casa de mamãe — repetiu ela, chorosa, sem saber mais o que dizer.

— Está bem, mas amanhã: hoje já é tarde.

A essa altura, vendo que não havia mais nada a fazer, a irmã resolveu se despedir. Sua experiência da vida de nada adiantara. A outra ficou a sós com o marido no quarto, resolveu voltar ao que era, sem planos, sem direitos de esposa. Abraçou-se a ele:

— Me desculpe, meu bem, ter desconfiado de você. A gente perde a cabeça, fica pensando coisas.

Mais tarde, já deitados, luz apagada, ela chamou-o num sussurro:

— Roberto...

— Ahn? — resmungou ele, de dentro do sono. Ela pediu, com voz humilde:

— Um dia você me ensina a jogar buraco?

Ele não respondeu; dormia a sono solto e ela, num arrepio de prazer, já quase dormindo também, reparou pela primeira vez que ele roncava.

O BALLET DO LEITEIRO

No EDIFÍCIO da esquina ainda há várias janelas acesas. No terceiro andar mora um casal de velhos. Vejo um pedaço de cama, um pé, um pijama riscado, o jornal aberto. Eis que entra a velha metida numa camisola feito um balão murcho, arranca sem cerimônia o jornal das mãos do marido, agacha-se para olhar debaixo da cama. A luz se apaga.

No último andar os homens fumam, vejo a brasa dos cigarros.

No quinto moram duas meninas. Estão debruçadas na varanda, olhando a rua. Uma usa suéter amarelo, outra blusa branca. Assim de longe têm um ar desbotado de quem já lavou o rosto para dormir. Dormem de janelas hermeticamente fechadas.

No segundo andar uma mulher passeia pelo quarto e gesticula, parece estar falando sozinha.

Na casa em frente mora uma velha feiticeira com seu cachorro. É possível que depois da meia-noite ela se transforme numa princesa de cabelos cor de ouro e vá dançar numa boate. Mas ainda são onze horas e atualmente a megera, num vestido preto e medonho, o mais que faz é passar a mão numa vassoura e brandi-la contra o cachorro, obrigando-o a recolher-se.

Meia-noite. Quase todas as luzes já se apagaram. Ao longe o morro dos Cabritos deixa ver alguns de seus casebres, que não chegam a perturbar a paisagem dos moradores do último andar. A luz da lua dá aos edifícios fronteiros uma coloração amarelada. Uma pequena multidão acaba de sair do cinema. Alguns se detêm no ponto de ônibus; outros vão andando. Meia dúzia de carros se movimenta. A lua também se apaga por detrás de uma nuvem. Vem o ônibus, o último, e arrebanha este resto de vida.

E a cidade morre. Daqui por diante apenas um bonde, um táxi ou uma conversa de notívagos sacudirá por instantes o ar de morte que baixou sobre a cidade. A mulata poderá discutir com o porteiro do edifício, o vigia da construção poderá vir espiar. Ouvirei uma buzina, um choro de criança, apito de guarda, miados de gato, tosse de homem, riso de mulher. Um rato cruzará o asfalto de esgoto a esgoto, um rapaz passará assobiando. Serão débeis sinais de vida que não iludirão a morte, nessa hora em que os homens se esquecem e dormem.

*

Mas alguém está acordado e continua vivendo. Não o conheço, não sei quem é, se homem ou mulher. Vejo apenas sua janela acesa, às vezes adivinho sua sombra, distingo a fumaça de seu cigarro. Não sei que profissão exerce, se lê ou escreve livros, se espera alguém, por que razão não vai dormir. Melhor que

13

não saiba: já me acostumei à presença desse desconhecido companheiro da madrugada que, amargurado ou distraído, estabelece em meio à aceitação da noite a clareira de sua vigília, a certeza de uma presença humana sempre acesa dentro da escuridão. Vontade de comunicar-me com ele, estender o braço por sobre as árvores e edifícios que nos separam e cumprimentá-lo, mostrando-lhe a minha janela também acesa, e indicar-lhe que também não estou dormindo. Aqui estou eu, irmão. A noite vai tranqüila, agüenta a mão aí, deixa o barco correr. É bom que nos saibamos cada um no seu posto, de sentinela enquanto a cidade dorme, à espera de um novo dia. Deixa a noite correr! Cada um na sua janela, nós nos entendemos: a noite é nossa.

Mas ao longe, por detrás dos edifícios, surge uma résti de claridade — é a madrugada que avança. Eis que a janela acesa de súbito se apaga. O céu vai-se tornando roxo e a cidade aos poucos empalidece. Estou sozinho. Nem uma luz senão a minha. Há um instante de equilíbrio entre a sombra e o silêncio, entre a minha solidão e a de todos — e então irrompe no ar o ruído alegre e matinal da carroça do leiteiro lá embaixo, na rua, as garrafas retinindo.

*

Vejo da janela, como de um camarote, o leiteiro se aproximar. Agora ele deteve sua carroça na esquina, enquanto uma negra surgida não sei de onde parece desafiá-lo à distância.

— Negra sem-vergonha! Ah, se eu te pego.

Do outro lado, junto ao tapume, o vigia da construção assiste à cena. O leiteiro e a mulher se olham como dois animais. Ele bate com o pé no chão, fingindo que vai correr, e ela sai em disparada, desaparece na esquina.

— Não posso entregar o leite, que aquela negra está querendo me furtar uma garrafa. É só largar a carroça e ela vem.

Fica indeciso, dá um passinho para lá, outro para cá. Finge afastar-se e rodopia sobre o meio-fio, para surpreender a mulher. Não vendo ninguém, apanha duas garrafas e, desconfiado, se afasta em direção a um edifício.

Surge a negra na esquina. Vem vindo de mansinho, colada à parede. Encosta-se na carroça como quem não quer nada — o leiteiro olha de longe. Passa a mão numa garrafa e o leiteiro se precipita aos gritos, foge a negra espavorida. Deixa cair a garrafa, o leite se esparrama no chão. O leiteiro berra, ameaçador:

— Sua cachorra! Olha só o que me fez! Eu te mato, diabo.

Detém-se junto à carroça, olha o leite derramado, os cacos da garrafa — chora o leite derramado:

— Numa hora dessas não aparece nem um guarda.

Levanta os olhos e dá comigo à janela.

— O senhor quer fazer o favor de tomar conta da carroça enquanto entrego o leite? Aquela mulher...

— Quem, eu? — inflo-me de energia, do alto do meu quinto andar. Lanço à rua um olhar capaz de afugentar a mais temerária das negras que furtam garrafas dos leiteiros: — Poder, posso. Mas acontece que comigo aqui em cima ela furta até a carroça. Será que ela me respeita?

Desanimado, o leiteiro voltou-se para o vigia:

— Nem um guarda! Já me quebrou uma garrafa, olha aí. O senhor será que podia...?

O vigia, um mulato vigoroso e decidido, atravessa a rua e vai postar-se junto à carroça. O leiteiro agradece, apanha de novo duas garrafas e sai correndo em direção ao edifício. Pela calçada vem vindo a negra, de mansinho, vem vindo...

— O que é que você quer? — ameaça o vigia.

Aproximam-se um do outro, conversam baixinho alguns minutos. O vigia segura a negra pelo braço. Depois atravessa com ela a rua e ambos desaparecem no interior da construção.

MANOBRAS DO ESQUADRÃO

O ESQUADRÃO de Cavalaria estava acampado junto ao rio das Mortes. Era hora do rancho e já nos muníamos de nossos pratos de folha, quando foi dado o alarma:

— Atenção! Bombardeiro inimigo!

Tínhamos camuflado as barracas com ramos de árvore. Os cavalos estavam... Onde estavam mesmo os cavalos? Agora me lembro, não havia cavalos, tínhamos vindo em caminhões, os cavalos seguiram de trem, para nos esperar em Barbacena. Corremos todos, seguindo as instruções, para os abrigos cavados na terra. O bombardeiro inimigo, um teco-teco da base aérea de São João del-Rei, deixou cair meia dúzia de bombas, que eram sacos de papel cheios de cal, e foi-se embora. A bateria antiaérea fez fogo. Passado o perigo, o rapaz da metralhadora apresentou-se ao capitão:

— Inimigo neutralizado, comandante.

— Abatido? — perguntou o capitão, a cara mais séria deste mundo.

— Quem, eu?

— O avião, sua besta.

— Não: recebeu impactos diretos na asa e na cauda.

Meninos brincando de guerra. Finda a brincadeira, saímos para o rancho e descobrimos, consternados, que o inimigo havia acertado em cheio uma bomba de cal na carroça de cozinha, exatamente dentro do caldeirão de feijão. Fora-se o nosso almoço.

— Isso eles fizeram de propósito — protestaram alguns, mostrando os punhos indignados para o teco-teco que se perdia no horizonte.

O pessoal da bateria antiárea saiu à caça, matou um tatu e comeu. Nós ficamos sem comer.

Depois foi o avanço noturno para fazer frente ao inimigo. O inimigo era o 10.º Regimento de Belo Horizonte, o 12.º Regimento de São João del-Rei e os Caçadores da Bahia. Nunca chegamos a ver estes famosos Caçadores, mas falava-se muito — diziam que eles iam nos liquidar. Os outros estavam em toda parte. As colunas do 12.º a nós se misturavam na estrada, buscando uma posição onde nos combater. Os comandantes se desentendiam:

— Suma com sua tropa! Tudo junto assim não é possível.

— Veja lá como fala. Você é inimigo! Prendo todo mundo e acabo com a guerra.

— Pois então prende! É um favor que você me faz.

Chovia, marchávamos em plena lama, ninguém se entendia. Dentro da noite apareceu um coronel a cavalo para avisar ao nosso comandante que os Caçadores da Bahia haviam perdido o rumo, àquelas horas deviam ter ultrapassado Minas Gerais e já estariam próximos do Rio Grande do Sul. Nosso comandante disse que não tinha nada com isso porque os Caçadores da Bahia eram inimigos — descobriu-se então que o coronel a cavalo era inimigo também.

— Sabe de uma coisa? O senhor está preso.

Prendeu-se o coronel e arrecadou-se o seu cavalo.

A coluna progredia pela estrada, mas já nos engavetáramos definitivamente na retaguarda de um pelotão de viaturas. As viaturas eram nossas, e as deixaríamos de bom grado para o inimigo, pois não progrediam: as carretas atolavam-se na lama e dois muares, errando a direção de uma ponte, haviam precipitado um pesadíssimo canhão dentro do rio. O aspirante Helvécio tocou-me o braço, chamou-me a um canto:

— Nosso pessoal já sumiu. Não sei quem é essa gente. Tem um capitão ali querendo me requisitar para seu ajudante-de-ordens. Essa guerra está ficando chata. Vamos cair no mato?

Caímos no mato, deixando para trás a estrada. Nosso plano era descobrir um abrigo para a chuva, aguardar o amanhecer e rumar diretamente para Santana, onde ia ter nossa unidade. Andamos no mato a noite inteira. A certa altura Helvécio foi passar debaixo de uma goiabeira, abriu caminho, largou um ramo na minha cara.

— Estou ferido! — berrei.

A princípio pensei que o ramo me tivesse vazado o olho. Helvécio saiu a guiar-me como um cego, resolveu ganhar de novo a estrada. Apareceu um major de automóvel:

— Este aspirante foi ferido em combate — disse-lhe meu amigo.

— Azul ou Vermelho? — perguntou o major.

— Azul.

— Então entrem.

Éramos do Exército Azul. Passamos por uma localidade onde soubemos que uns aspirantes de cavalaria haviam conquistado o botequim e requisitado o estoque de cigarros "Alerta".

— São eles — reconhecemos logo. — Não devem estar longe.

*

Prosseguimos viagem, mas logo adiante o automóvel foi detido, com major e tudo: caíramos em mãos dos Vermelhos. Sem nada poder ver, eu identificava, entretanto, uma voz conhecida.

— Helvécio, veja quem é esse sujeito que prendeu o major.

Helvécio foi ver e voltou, exultante:

— É o Capitão Nélson!

Isso queria dizer que, pelo menos, não seríamos fuzilados: o Capitão Nélson fora nosso instrutor no CPOR e agora, ainda que inimigo, daria tratamento condigno aos seus prisioneiros. Fui examinado pelo tenente-veterinário, recebi um tampão no olho e uma ordem escrita para recolher-me ao Hospital de Fogo, em Juiz de Fora.

— E agora?

Pedimos ao Capitão Nélson que nos deixasse fugir, mas ele se indignou. Atingimos uma cidadezinha ao amanhecer, fomos recebidos em festa.

— Há um ferido — diziam, apontando-me.

Providenciaram para mim uma cama e fui dormir. Acordei às duas horas da tarde — já não havia um só militar na cidade.

— Todos fugiram — me disse um velho à porta da venda — e esqueceram o senhor. O inimigo vem aí.

— Então são amigos. Eu sou Azul.

Invejei a sorte de Helvécio, que se fora embora, feito prisioneiro do Capitão Nélson. Deram-me de comer, ofereceram-me um carro de boi para me conduzir até São João del-Rei. Um carro de boi levaria um mês para chegar a São João del-Rei.

— Muito obrigado — disse. — Prefiro ir a pé mesmo.

*

Fiquei rondando pelo lugarejo, olhado por todos com piedade, sentindo-me Miguel Strogoff, barba por fazer, sujo e cansado. "Cego de um olho", pensava, e tinha vontade de chorar. Talvez se eu fingisse de mendigo poderia ficar espionando o invasor. A essas alturas, por causa do Capitão Nélson, já me sentia Vermelho também. A mocinha da farmácia se ofereceu para pingar colírio. Considerei por um instante a possibilidade de me apaixonar por ela para o resto da vida, mas o dente de ouro do seu sorriso afastou logo essa idéia infeliz. Não havia esparadrapo. Passaram-me uma faixa de gaze pela cabeça, cobrindo o olho ferido, e ingressei definitivamente num filme sobre a guerra franco-prussiana. Apoiado num bordão, encetei minha viagem pelas longas estradas de Minas. Depois de duas horas de marcha, atingi o carro de boi.

Aboletei-me ao lado do carreiro e lá fomos nós, rinchando pachorrentamente por este mundo afora. O homem me contou que os soldados tinham acabado com a safra de laranjas daquele ano, na fazenda de seu patrão.

— C'est la guerre — limitei-me a comentar.

Ele concordou e passou a olhar-me com respeito.

*

Uma camioneta apontou ao longe. Quem a dirigia era um sargento — inferior, portanto. Requisitei a camioneta, ainda que o sargento protestasse, dizendo que levava munição de boca da Intendência de São João para a tropa.

— Azul ou Vermelho?

— Vermelho.

— Então é presa de guerra. Sou Azul.

Fiz a camioneta voltar, deixamos para trás o carro de boi. A munição de boca era um saco de farinha. Morto de fome, enchi uma cuia e pus-me a comer. Em pouco, entalado de farinha, pedi água.

— Água? — e o sargento pôs-se a rir.

Cheio de farinha até o pescoço, eu mal podia falar. A camioneta caiu num atoleiro, não havia jeito de sair. Duas horas depois surgiu a nossa salvação: o carro de boi que eu desprezara. Rebocamos a camioneta com a junta de bois — o carreiro me deu um gole de cachaça para fazer descer a farinha.

— Vamos em frente! — comandei.

Eram cinco e meia da tarde quando demos entrada em São João del-Rei. Mal tive tempo de tomar uma garrafa de água mineral no botequim da esquina e rumar para o campo de aviação.

— Quem está vencendo? — perguntou-me um gaiato.

Encontrei um tenente dos... Caçadores da Bahia. Estava vestido de tenente mesmo, como qualquer um de nós:

— Vim parar aqui não sei como. Você nâo quer me prender, por favor? Isso é uma esculhambação, aqui é território inimigo e ninguém me prende. Acabo respondendo a Conselho de Guerra como desertor.

— Quer ser meu anspeçada? — sugeri.

— Anspeçada? — ele se aprumou: — Sou tenente! E esse posto nem existe mais.

— Então dane-se.

E fui-me embora. No campo de aviação fiquei aguardando o avião, que tinha ido bombardear as linhas de frente. Um capitão médico me examinou o olho:

— A coisa está preta — limitou-se a dizer.

Em pouco chegava o avião, mas o piloto, das hostes adversárias, foi para casa jantar. O Tenente Álvaro, do Aeroclube, se dispôs a levar-me. E levou mesmo — mas como! Os leitores me desculpem, mas terei de voltar a este Tenente Álvaro, para denunciá-lo à Nação.

VOL DE NUIT

O TENENTE Álvaro não era aviador coisa nenhuma. Era tenente da reserva, como eu, servindo no 11.º Regimento de Infantaria, nosso aliado nas manobras, mas em doce disponibilidade em São João del-Rei, não se sabe à custa de que magnífico pistolão. De aviador só tinha mesmo 10 horas de vôo — pertencia ao Aeroclube de Juiz de Fora, o que queria dizer que já dera umas voltas em cima do campo de Benfica. Agora se limitava a acompanhar o piloto nas suas surtidas sobre as hostes inimigas, quando o teco-teco se fazia em bombardeiro e despejava bombas em cima da cabeça da gente. As bombas eram sacos de papel cheios de cal, e aquela que acertou na viatura da cozinha, dentro do nosso caldeirão de feijão, disse o Tenente Álvaro que foi ele quem deixou cair. O que fazia do Tenente Álvaro um traidor, pois o avião era requisitado pelo 12.º Regimento, nosso inimigo e, portanto, dele também. Mas não chegou a ser fuzilado, pelo contrário: de tarde vestia uma bela fatiota e, enquanto comíamos poeira e respirávamos cal viva no *front,* ia passear sua elegância nas ruas de São João, conversar com as meninas do Hotel Hudson.

*

O Tenente Álvaro me olhou de alto a baixo:
— Você está ruinzinho, hein, rapaz?
E ordenou ao negrinho que nos espiava a poucos passos:
— Prepare o avião.
Depois me disse, acendendo um cigarro:
— Vamos estudar o plano de vôo.
Levou-me a uma sala, estendeu sobre a mesa um mapa da região e pôs-se a estudá-lo como Errol Flynn em "Patrulha da Madrugada":
— São 130 quilômetros daqui até lá. A velocidade máxima é exatamente 130 quilômetros. Donde — me apontava o lápis, concentrado — uma hora de vôo, na melhor das hipóteses.
Consultou o relógio:
— Saímos às 6 e chegamos às 7. Se chegarmos depois das 7, o melhor é não sair.
O negrinho voltava do campo dizendo que o avião já estava preparado — e ficou esperando uma gorjeta. Havia apenas passado uma flanela no pára-brisa.
— Vamos traçar a rota? — propôs o Tenente Álvaro, gravemente.
E com uma eficiência de verdadeiro comodoro do ar, aplicou uma régua sobre o mapa, ligou as duas cidades com uma linha reta num risco de lápis.
— Tudo pronto. Podemos partir.

*

Partimos. O avião desgarrou-se do chão meio aos solavancos, um pouco mais cedo do que eu esperava, mas o comodoro me disse que era assim mesmo:

— Quanto mais cedo melhor. Se chegarmos depois das 7 horas, babau!

— Babau? — repeti.

— Estará escuro e o campo de Juiz de Fora não tem luz.

— Ah. . . Então a gente volta. . .

— Não: o de São João também não tem. Mas enquanto houver gasolina. . .

Inclinou-se para a frente, olhando o painel:

— Será que aquele moleque se lembrou de botar gasolina?

— Babau — suspirei, engolindo em seco. O comodoro procurou tranqüilizar-me, batendo jovialmente no meu joelho:

— Não tem perigo, rapaz. Enquanto estiver voando, é porque vai tudo bem.

Depois, para estimular-me, pediu que o ajudasse um pouco com a navegação. A navegação consistia em um de nós olhar o mapa, enquanto ia dizendo:

— Veja lá embaixo se tem um córrego. Tem? Agora um povoadozinho à direita. Agora uma estrada. . .

Forçando a vista sã, com os dedos a segurar as pálpebras, eu olhava, olhava, e não via nada.

— Não estou vendo nada. Acho que fiquei ruim da outra vista.

— Entramos numa nuvem — explicou ele. — Estou tentando sair. Já subi pra burro e nada. Descer não posso porque esbarro na montanha. Talvez se tentássemos Barbacena. . .

Examinou o mapa:

— Barbacena já ficou para trás.

— Onde estamos? — perguntei.

— Pelos meus cálculos, aqui... aqui...

Correu o dedo ao longo do mapa e olhou-me, consternado:

— Veja você, saímos do mapa. Vamos voltar?

Indignei-me:

— Você não disse que era piloto? Que sabia dirigir essa joça?

— Calma, rapaz. Dirigir é muito simples. É só não perder o rumo.

— Perdemos o rumo — balbuciei.

— Não — tranqüilizou-me ele: — Já prometi aqui dez padre-nossos e dez ave-marias por conta, se sairmos desta.

Em pouco a nuvem foi-se esgarçando — eu prometera um rosário inteiro — e saímos para um céu manchado de rosa. Lá embaixo as sombras iam escurecendo um imenso vale.

— Deve ser o vale do Paraíba — disse ele, enxugando o suor da testa. Eu não falei que saíamos? Minha reza é forte. O norte deve ser para lá, pois olha o sol se escondendo ali. Veja se descobre lá embaixo um rio.

— Ali — apontei, feliz como um índio.

— É o Paraíba. Agora agüenta a mão, não vá me perder o Paraíba. Para que lado estará Juiz de Fora?

Depois de alguma hesitação, resolvemos tirar sorte e escolhemos um dos lados. Minutos mais tarde descobrimos, agoniados, que estávamos voltando para São João del-Rei: à nossa frente uma nuvem medonha, escura e feroz — aquela de onde havíamos saído — se abria para engolir-nos. Fizemos a volta, baixando ainda mais, não perdendo o rio um só instante.

*

Eram sete e meia da noite, quando avistamos as luzes de Benfica.

— Vamos voar sobre a cidade para alertar o pessoal — disse o Tenente Álvaro, apreensivo.

Depois de girarmos sobre Juiz de Fora alguns minutos, ele tomou rumo do campo:

— Melhor é a gente descer de uma vez, antes que a gasolina acabe. Pelo jeito já está acabando.

— Descer nesta escuridão?

Na estrada seguia, vertiginosa, a camioneta, com o pessoal do Aeroclube. Estavam jantando, cada um em sua casa, quando ouviram o avião e se reuniram às pressas para recolher nossos cadáveres. Puseram os faróis do carro a iluminar a pista, e foi com esta luz que descemos. Esta e a luz das estrelas, fazia uma noite bonita. Foi a primeira coisa que notei quando pisei em terra, pensando em Saint-Exupéry. Pedi que me deixassem no hospital, não se esquecessem de que eu era um ferido de guerra. E estava precisando mesmo de hospital.

Antes, porém, me despedi do Tenente Álvaro:

— Grande perícia, comodoro.

— Para a última vez, foi bom.

— Última? Pensei que fosse a primeira.

Foi a última. Soube, mais tarde, que o comodoro fora impedido de voar pela direção do Aeroclube, para o bem de todos e felicidade geral da Nação. A esta Nação o denuncio: cuidado. Não lhe confiem o mancho de nossos aviões. Em terra, porém, contem com ele como excelente advogado: trata-se do Dr. Álvaro Guimarães, que aliás está até defendendo uma causa minha. Ainda ontem estive com ele, me disse que vai a Belo Horizonte por esses dias:

— De trem — tranqüilizou-me.

OBRIGADO, DOUTOR

QUANDO lhe disse que um vago conhecido nosso tinha morrido, vítima de tumor no cérebro, levou as mãos à cabeça:

— Minha Santa Efigênia!

Espantei-me que o atingisse a morte de alguém tão distante de nossa convivência, mas logo ele fez sentir a causa da sua perturbação:

— É o que eu tenho, não há dúvida nenhuma: esta dor de cabeça que não passa! Estou para morrer.

Conheço-o desde menino, e sempre esteve para morrer. Não há doença que passe perto dele e não se detenha, para convencê-lo em iniludíveis sintomas de que está com os dias contados. Empresta dimensões de síndromes terríveis à mais ligeira manifestação de azia ou acidez estomacal:

— Até parece que andei comendo fogo. Estou com pirofagia crônica. Esta cólica é que é o diabo, se eu fosse mulher ainda estava explicado. Histeria gástrica. Úlcera péptica, no duro.

Certa ocasião, durante um mês seguido, tomou injeções diárias de penicilina, por sua conta e risco. A chamada dose cavalar.

— Não adiantou nada — queixa-se ele: — Para mim o médico que me operou esqueceu alguma coisa dentro de minha barriga.

Foi operado de apendicite quando ainda criança e até hoje se vangloria:

— Menino, você precisava de ver o meu apêndice: parecia uma salsicha alemã.

No que dependesse dele, já teria passado por todas as operações jamais registradas nos anais da cirurgia: "Só mesmo entrando na faca para ver o que há comigo". Os médicos lhe asseguram que não há nada, ele sai maldizendo a medicina: "Não descobrem o que eu tenho, são uns charlatas, quem entende de mim sou eu". O radiologista, seu amigo particular, já lhe proibiu a entrada no consultório: tirou-lhe radiografia até dos dedos do pé. E ele sempre se apalpando e fazendo caretas: "Meu fígado hoje está que nem uma esponja, encharcada de bílis. Minha vesícula está dura como um lápis, põe só a mão aqui".

— É lápis mesmo, aí no seu bolso.

— Do lado de cá, sua besta. Não adianta, ninguém me leva a sério.

Vive lendo bulas de remédio: "Este é dos bons" — e seus olhos se iluminam: "justamente o que eu preciso. Dá licença de tomar um, para experimentar?" Quando visita alguém e lhe oferecem alguma coisa para tomar, aceita logo um comprimido. Passa todas as noites na farmácia: "Alguma novidade da Squibb?"

Acabou num psicanalista: "Doutor, para ser sincero eu nem sei por onde começar — dizem que eu estou doido? O que eu estou é podre". Desistiu logo: "Minha alma não tem segredos para ninguém arrancar. Estou com vontade é de arrancar todos os dentes".

E cada vez mais forte, corado, gordo e saudável. "Saudável, eu?" — reage, como a um insulto: "Minha Santa Efigênia! Passei a noite que só você vendo: foi aquele bife que comi ontem, não posso comer gordura nenhuma, tem de ser tudo na água e sal". No restaurante, é o espantalho dos garçons: "Me traga um filé aberto e batido, bem passado na chapa em três gotas de azeite português, lave bem a faca que não posso nem sentir o cheiro de alho, e duas batatinhas cozidas até começarem a desmanchar, só com uma pitadinha de sal, modesta porém sincera".

De vez em quando um amigo procura agradá-lo: "Você está pálido, o que é que há?" Ele sorri, satisfeito: "Menino, chega aqui que eu vou lhe contar, você é o único que me compreende". E começa a enumerar suas mazelas — doenças de toda espécie, da mais requintada patogenia, que conhece na ponta da língua. Da última vez enumerou cento e três. E por falar em língua, vive a mostrá-la como um troféu: "Olha como está grossa, saburrosa. Estou com uma caverna no pulmão, não tem dúvida: essa tosse, essa excitação toda, uma febre capaz de arrebentar o termômetro. Meu pulmão deve estar esburacado como um queijo suíço. Tuberculoso em último grau". E cospe de lado: "Se um mosquito pousar nesse cuspe, morre envenenado".

Ultimamente os amigos deram para conspirar, sentenciosos: o que ele precisa é casar. Arranjar uma mulherzinha dedicada, que cuidasse dele. "Casar, eu?" — e se abre numa gargalhada: "Vocês querem acabar de liquidar comigo?". Mas sua aversão ao casamento não pode ser tão forte assim, pois consta que de uns dias para cá está de namoro sério com uma jovem, recém-diplomada na Escola de Enfermagem Ana Néri.

O TAPETE PERSA

de limpar, resolvo? Mas sua filha não pode ser tão perta assim, pois conta que da lista cá está de menor, se vê com uma joem, recém-diplomada na Escola de Enfermagem Ana Néri.

COMPROU o tapete por cento e cinqüenta contos, colocou-o no imenso *living* e ficou olhando. Mal se podia pisar com um pouco mais de firmeza que o dono do tapete logo perdia o fio da conversa. Se por acaso um amigo acendia o cigarro, ah, isso não, meu amigo, você tenha paciência, mas vá fumar lá fora, na varanda, isso aqui é tapete para muito luxo, custou cento e cinqüenta contos, da Pérsia ali no duro, se me cai uma brasinha no chão eu lhe mando a mão na cara, desculpe a franqueza, mas comigo é assim, mais vale prevenir que remediar.

A mulher já nem podia trazer à sua casa uma visita de cerimônia, porque logo de entrada ele ia avisando:

— Vai limpar o pezinho aí no capacho, não vai? Tapete novo ali na sala, cento e cinqüenta contos, a senhora compreende... Preço de um automóvel!

Quem compra um automóvel por cento e cinqüenta contos hoje em dia? Era o que ele pensava, quando se meteu no seu com toda a família e tocou-se para Petrópolis. Recomendara à empregada cuidados especiais com o tapete. A mulher sugerira enrolá-lo, mas onde colocar um canudo de três metros de comprimento, quatro se enrolado de comprido? E poderia estragar-se, pois os tapetes, ainda que persas, foram feitos para ficar estendidos. Estava feliz: nem todos podem ter um tapete persa. Para muita gente é um ideal na vida.

Um belo dia a empregada descobriu, com pavor, que o tapete apresentava aqui e ali pequenas manchas de mofo. Abriu todo o apartamento, mas, não satisfeita, resolveu dependurar o tapete na amurada da varanda para que apanhasse sol.

Ora, acontecia morar no apartamento de baixo um americano que invariavelmente chegava bêbado todas as noites e ainda bebia mais um pouco antes de dormir, mais um pouco ao levantar-se. Naquele dia, tendo o tapete obstruído por completo sua janela, cuidou ao acordar que ainda era noite e voltou para a cama. Afinal, cansado de dormir, acendeu a luz e olhou o relógio: duas horas. Não poderia estar tão bêbado assim — convenhamos que às duas horas da tarde o dia já deveria ter pelo menos começado a clarear. Ou passara o dia todo dormindo e seriam duas horas da noite?

Avançou para a janela e deu de cara com o tapete. Vendo que não conseguia olhar para fora, voltou-se, resignado, sem buscar uma explicação. Buscou antes uma faca e meteu-a no tapete como no ventre de um peixe, abrindo-o de alto a baixo. Depois enfiou a cabeça pelo rombo para ver se lá fora era noite ou dia. Infelizmente era dia. Não se conformando, puxou com violência o tapete e quando afinal acabou de recolhê-lo, deixou que tombasse no espaço e fosse cair lá embaixo, sobre as obras de um edifício em princípio de construção.

Muitos que viram se assustaram. Houve quem pensasse que o prédio estava vindo abaixo. Caiu uma "coisa" lá de cima! — vários gritavam, apontando. O que foi? Alguém se atirou lá de cima? uma mulher? Uma mulher se atirou lá de cima!

— Nós mal começamos e este aqui já está mandando a mobília — comentou um operário da construção, contemplando o tapete.

Enfim, não é todo dia que caem tapetes persas da janela dos apartamentos, pelo menos naquela rua. Alguns curiosos se ajuntaram, enquanto não se chamava a assistência. A empregada apareceu desvairada, e ao ver o tapete no chão enlameado, botou as mãos na cabeça e a boca no mundo:

— Nossa Senhora, meu patrãozinho me mata!

No dia seguinte era o patrãozinho que, descendo de Petrópolis, ia ao apartamento de baixo disposto a matar primeiro o americano. No que ele disse *yes*, foi-lhe metendo o braço.

— Just a moment! Just a moment! — berrava o americano, se defendendo. — No fala portuguese! Must be some mistake!

— Misteique é a mãe — dizia o dono do tapete, enfurecido. Não satisfeito, pôs-se a quebrar coisas no apartamento do outro. Pouco havia que quebrar, além de uma garrafa de "Four Roses" já vazia.

Afinal, mais calmo, preveniu:

— No fala portuguese mas pagar tapete, tá bem? Olha aqui, ô gringo, to pay my tápet, cento e cinqüenta contos, morou?

— Let's have a drink — propôs o americano.

A CONDESSA DESCALÇA

A MOÇA deixou o Brasil e hoje mora em Bruxelas, graças a uma bolsa de estudos. Um amigo comum conta-me agora a sua desventura, vivida durante uma viagem a Londres.

A moça vive modestamente na pensão de uma grega chamada Papacapopoulos, ou coisa parecida. Um dia a senhoria lhe disse que era um absurdo ela estar na Europa e não viajar: não ter ainda conhecido Londres, por exemplo, que era tão perto. Então a moça economizou um dinheirinho e comprou a passagem: a Papacapopoulos lhe recomendou a filha, que vivia lá.

E a moça foi a Londres, toda contente. Chegou à noite, debaixo de chuva, depois de uma viagem de navio e outra de trem. Molhou-se da estação até o táxi. Já no hotel, deixou os sapatos encharcados junto do aquecedor, deitou-se e dormiu.

Pela manhã, verificou que os sapatos estavam secos, mas estalando de tão secos: assados. Mal lhe entravam no pé. Não tendo outros, calçou-se assim mesmo, depois de muito esforço, e saiu pelas ruas, a perna dura, dando patadas no chão, à procura de uma sapataria. Encontrou uma, explicou-se como pôde, mostrando nos pés os sapatos esturricados. O homem os olhava, assombrado. Quando se dispôs a atendê-la verificou que não tinha o número que ela calçava: 33. Recomendou-lhe outra sapataria.

Esta outra também não tinha — e assim, sucessivamente, ela foi a sete sapatarias londrinas, sem resultado. Já se desesperava, reduzida à perspectiva de condessa descalça, única coisa que Londres lhe poderia oferecer. Acabou voltando para o hotel. Tinha os pés empolados, cheios de bolhas e de calos. Resolveu mergulhar os sapatos na banheira para ver se, molhados, recuperavam sua condição anterior.

No dia seguinte calçou-se novamente e saiu para o passeio de ônibus, cujo bilhete havia comprado numa agência de turismo. Os sapatos, agora úmidos, começavam a se desmanchar: a sola se despregava, os pés ardiam e cada passo era um martírio. Não teve mais dúvidas: entrou na primeira sapataria e comprou outro par, o menor que encontrou. Ainda assim, eram grandes demais para ela, folgados no pé, e de salto alto. Mal se equilibrava em cima deles, tinha de caminhar arrastando a sola pelo chão, como uma patinadora. Levou mais de uma hora para chegar à estação de ônibus. O ônibus, naturalmente, já havia partido. Estava perdido, pois, o bilhete que comprara. Por sua vez, perdeu-se nas ruas de Londres à procura do hotel.

Então se lembrou da filha da Papacapopoulos. Tomou um táxi, deu o endereço e suspirou de alívio, acariciando o pé. Encontrou uma reunião de gregas velhas, na qual se meteu sem entender uma palavra

— não logrou sequer explicar quem era, e a razão de sua presença ali. Ficou sentada, quieta no seu canto, sem saber mais o que fazer — ao cruzar as pernas, atirou o sapato a dois metros de distância.

Tomou coragem e resolveu sair, arrastando os pés, sem dizer a que viera. Eram nove horas da noite. Como por milagre, conseguiu orientar-se, descobrindo o caminho do hotel. Mas era uma rua escura, sombria — um cavalheiro muito dignamente começou a segui-la como uma sombra, justamente quando pensava no vampiro de Londres. A moça apertou o passo, a sombra também. Os sapatões de salto alto a obrigavam a um passo miudinho e requebrado, que certamente ainda mais estimulavam seu seguidor. Pôs-se enfim a correr, desajeitada como um canguru, o vampiro correu atrás. Precipitou-se pela entrada do *subway* e tropeçando na escada, aos trambolhões, chegou à estação, entrou num trem que logo partiu em disparada, levando-a pelas entranhas de Londres.

Tornou a perder-se, foi chegar ao hotel já alta madrugada. Dormiu apenas duas horas: era o dia de regressar a Bruxelas. Amaldiçoando a viagem, regressou.

Ao deixar o trem na estação de Bruxelas, suspirou aliviada: mais um pouco e se livraria para sempre daquele suplício que carregava nos pés. Tomou a escada rolante — e foi então que o salto do sapato direito se prendeu entre os degraus.

Era um pesadelo que nunca mais chegava ao fim. Em vão se retorceu para libertar o sapato. Buscando apoio para não cair, acabou prendendo o outro pé. E lá foi ela, levada cada vez mais para cima e sem poder se mover. Quando a escada terminou, foi projetada para frente, estatelando-se no chão. Mas se livrara enfim dos sapatos, que logo se esmigalharam e desapareciam, deglutidos entre os dois degraus de aço. O mecanismo da escada engasgou e se deteve: os demais passageiros que subiam ficaram ali, parados, numa postura perfeitamente ridícula de estátuas — o que de súbito a fez estourar numa gargalhada, ainda sentada no chão. Ergueu-se, afinal, e saiu para a rua, muito digna, caminhando descalça. Só no táxi é que se pôs a chorar, Cinderela arrependida.

Não é de estranhar que, na pensão, quando a Papacapopoulos lhe perguntou se havia gostado da viagem ela tenha respondido em português com um palavrão.

CONDÔMINOS

A PORTA estava aberta. Foi só eu surgir e arriscar uma espiada para a sala, o dono da casa saltou da mesa para receber-me:

— Vamos entrar, vamos entrar. Estávamos à espera do senhor para começarmos a reunião: o senhor não é o 301?

Não, eu não era o 301. Meu amigo, que morava no 301, tivera de fazer repentinamente uma viagem, pedira-me que o representasse.

O homem estendeu-me a mão, num gesto decidido:

— Pois então muito prazer.

Disse que se chamava Milanês e recebeu com um sorriso à milanesa a minha escusa pelo atraso. Desconfiei desde logo que fosse meio surdo — só mais tarde vim a descobrir que seu ar de quem já entendeu tudo antes que a gente fale não era surdez, era burrice mesmo.

Conduziu-me ao interior do apartamento onde várias pessoas, umas onze ou doze, já estavam reunidas ao redor da mesa. À minha entrada, todos levantaram a cabeça, como galinhas junto ao bebedouro. O apartamento era luxuosamente mobiliado, atapetado, aveludado, florido e enfeitado, nesta exuberância de mau gosto a que se convencionou chamar de decoração. O Milanês fez as apresentações:

— Aqui é o Dr. Matoso, do 302. Quando precisar de um médico... Ali o Capitão Barata, do 304 — representante das gloriosas Forças Armadas. Dona Georgina e Dona Mirtes, irmãs, não se sabe qual mais gentil, moram no 102. Aquele é o Dr. Lupiscino, do 201, nosso futuro síndico...

Suas palavras eram recebidas com risadinhas chochas, a indicar que vinha repetindo as mesmas graças a cada um que chegava. Cumprimentei o médico, um sujeito com cara mesmo de Matoso, o capitão com seu bigodinho ainda de tenente, as duas velhas de preto, não se sabia qual mais feia, o futuro síndico, os demais. O dono da casa recolheu a barriga e as idéias, sentando-se empertigado à cabeceira. Busquei o único lugar vago do outro lado e acomodei-me. A mulher do Milanês passou-me um copo de refresco de maracujá — só então percebi que todos bebericavam refresco em pequenos goles, aquilo parecia fazer parte do ritual, convinha imitá-los. Um dos presentes, solene, papel na mão, aguardava que se restabelecesse a ordem para prosseguir.

— Desculpem a interrupção — gaguejei. — Podem continuar.

— Não havíamos começado ainda — escusou-se o Milanês, todo simpaticão. — Estávamos apenas trocando idéias.

— Se o senhor quiser, recomeçamos tudo —

emendou a Milanesa, mais prática. — Ali o nosso
Jorge, do 203, dizia que precisávamos. . .

— Perdão, quem dizia era o Dr. Lupiscino —
e o nosso Jorge do 203, um rapaz roliço como uma
salsicha de óculos, passou para o extrema. A esta altura interveio o capitão, chutando em gol:

— Pode prosseguir a leitura.

Alguém a meu lado explicou:

— O Dr. Lupiscino fez um esboço de regulamento. O senhor sabe, um regulamento sempre é ne-
cessário. . .

O Dr. Lupiscino pigarreou e leu em voz alta:

— Quinto: é vedado aos moradores. . . Espere
— voltou-se para mim: — O senhor quer que leia os
quatro primeiros?

— Não é preciso — interveio o Milanês: —
Os quatro primeiros servem apenas para introduzir o
quinto. Vamos lá.

— Quinto: é vedado aos moradores guardar nos
apartamentos explosivos de qualquer espécie. . .

O capitão se inclinou, interessado:

— É isso que eu dizia. Este artigo não está certo: suponhamos que eu, como oficial do exército, traga
um dia para casa uma dinamite. . .

— O senhor vai ter dinamites em casa, capitão?
— espantou-se uma das velhas, a Dona Mirtes.

— Não, não vou ter. Mas posso um dia cismar
de trazer. . .

— Um perigo, capitão!

— Meu Deus, as crianças — e uma senhora
gorda na ponta da mesa levou a mão à peitaria.

— Pois é o que eu digo: um perigo — tornou o
capitão. — Devíamos proibir.

— Pois então?

Ninguém entendia o que o capitão queria dizer. Ele voltou à carga:

— E imagine se um dia a dinamite explode, mata todo mundo! Não, é preciso deixar bem claro no regulamento: "NÃO é vedado ter em casa explosivos de qualquer espécie..."

— NÃO é vedado? Quer dizer que pode ter? — desafiou o autor do regulamento, já meio irritado.

— Quer dizer que não pode ter explosivos — respondeu o capitão, quase a explodir.

O capitão não sabia o que queria dizer a palavra *vedado* — e dali não passariam nunca se o Jorge, do 203, não tivesse levantado a lebre:

— Vedado é proibido, capitão. Vedado explosivo: proibido explosivo.

— Vedado proibido?

Confundia-se, mas não dava o braço a torcer:

— Eu sei, mas acho que devíamos deixar mais claro que é proibido. Isto de explosivo é perigoso, *vedado* só é pouco, se vamos proibir, é preciso a palavra NÃO. Para dar mais ênfase, compreendem? NÃO é vedado...

— Continue — ordenou o Milanês.

O capitão, vedado pela própria ignorância, calou o bico. O Dr. Lupiscino continuou a leitura e em pouco já ninguém estava prestando atenção: todos concordavam com a cabeça ao fim de cada artigo, quando o homem corria os olhos pela sala, para recolher aprovação. O Milanês, a certa altura, sugeriu que interrompessem o regulamento em favor da eleição do síndico — já se fazia tarde e dali haveria de sair um síndico naquela noite. A Milanesa se aproveitou para ir lá dentro buscar mais refresco.

— Sugiro que aclamemos o nome do Dr. Lupiscino para síndico — disse uma das velhas, desta vez
a Dona Georgina.

Todos aprovaram, menos o Milanês que, pelo
jeito, queria ser síndico também.

— Estamos numa democracia — falou, tentando o engraçadinho: — E sem desfazer os méritos ali
do nosso preclaro Dr. Lupiscino, acho que devemos
lançar mão da mais importante das instituições de-
mocráticas: o voto secreto.

— Não precisa ser secreto — sorriu o Lupiscino, certo da vitória: — Somos poucos, todos conhecidos, quase uma família...

— Que acha o 301? — perguntou-me o Milanês,
tentando conquistar o meu voto. Eu, porém, incor-
ruptível, votaria no Lupiscino — a menos que a dona
da casa, até o momento da eleição, se lembrasse de
servir-me alguma coisa além de refresco de maracujá.

Disse-lhe que preferia não intervir, já que apenas representava um dos proprietários.

— O senhor não é condômino? — estranhou a
bem nutrida senhora da ponta da mesa. — Então
quem é que está em cima de mim? Eu sou 202.

Expliquei-lhe que não era condômino — esta
palavra era uma das razões pelas quais até então não
tivera coragem de comprar um apartamento.

— Estou representando o 301. Em cima da senhora deve estar ali o Dr. Matoso, que, se ouvi bem,
é 302.

Dr. Matoso sorriu amável, concordando:

— Faço muito barulho, minha senhora?

— Absolutamente — protestou ela, levando de
novo a mão ao peito. — Mal ouço o senhor à noite
descalçando os sapatos e botando os chinelos...

— A senhora é 202? — perguntou uma das velhas, novamente a Dona Mirtes. — Pois então seu ralo deve estar entupido: está pingando água no banheiro da gente.

A outra velha confirmou silenciosamente com a cabeça a acusação terrível. Enquanto isso o Milanês providenciava a votação: cortou lenta e caprichosamente uma folha de papel em doze pedaços, distribuiu-os a cada um de nós:

— E a urna? Onde está a urna?

A urna seria um horrendo vaso de alabastro. Nos solenizamos ao redor da mesa, exercendo o sagrado direito de voto. Procedeu-se à apuração e o vencedor foi mesmo o Dr. Lupiscino, do 201, por esmagadora maioria: o Milanês ganhou apenas um voto, o seu próprio, naturalmente. E a Milanesa? Eu também, 301, ganhei um voto — mas não foi dela, desconfio que foi da senhora do 202, a do ralo entupido, que me proporcionava olhares à socapa. Felicitei o novo síndico, escusei-me e caí fora: ameaçavam retornar ao regulamento, e o capitão dizia:

— Por "áreas comuns" entenda-se: escada, corredores, vestíbulo, entrada de serviço, garagem. E elevador, que é próprio, mas também não deixa de ser comum...

À saída notei, de passagem, que o edifício não tinha elevador.

DINAMITE

Todas as vezes que o Embaixador passava pela praia, o esqueleto do edifício a ser demolido ali à entrada da Avenida Princesa Isabel lhe causava um arrepio: recortado contra o céu, aquele monstro de cimento evocava uma cidade bombardeada, como Varsóvia, por exemplo, com suas lúgubres ruínas de guerra. Um dia não se conteve mais: depois de uma audiência com o Presidente, aproveitou-se para perguntar-lhe por que não apressavam os serviços de demolição:

— Soube que vão levar mais de quatro meses para desmanchar aquilo, do último andar até embaixo. Não há nada mais angustiante que uma ruína daquelas em plena Avenida Atlântica. Se em vez de picareta usassem alguma coisa mais moderna, como marteletes elétricos, por exemplo...

O Presidente logo se interessou:

— Marteletes elétricos?

E ligou para o Prefeito:

— Não há jeito de se acabar logo com aquele prédio em demolição na Avenida Atlântica? Muito deprimente aquilo, dá um ar de ruína de guerra, parece Varsóvia!

— Marteletes elétricos — soprava-lhe o Embaixador, entusiasmado.

— Com marteletes elétricos, a gente acaba com aquilo num instante.

O Prefeito prometeu providências e desligou o telefone, pensativo: marteletes elétricos? Nunca ouvira falar naquilo.

Satisfeito, o Embaixador foi para sua casa — não eram nem dez horas da manhã. E à noite jantava tranqüilamente em Copacabana quando percebeu um tumulto lá na rua:

— Que será isso, meu Deus?

Alguém passou correndo:

— Vão derrubar o edifício.

Correu também a ver: parecia uma revolução. A multidão se adensava para além do Lido e holofotes do Exército cruzavam o ar. O trânsito fora interrompido: soldados armados isolavam o quarteirão. O Embaixador saltou do carro e abriu caminho até acercar-se do foco das atenções: a estrutura de cimento armado a ser demolida. Corria um murmúrio entre o povo, de expectativa e apreensão: constava que usariam dinamite.

— Dinamite? — e o Embaixador pôs as mãos na cabeça, aturdido: — Essa gente está é doida!

Conseguiu localizar um dos engenheiros encarregados da operação:

— Veja o senhor como o povo exagera: já estão dizendo até que vão usar dinamite...

— E vamos mesmo — tornou o engenheiro, intrigado: — Por quê?

As pernas do Embaixador bambearam:

— Mas não é perigoso isso? Pode derrubar outros edifícios, matar uma porção de gente... Tem uma bomba de gasolina mesmo ali, olha! E se essa joça toda explodir?

O engenheiro coçou a cabeça:

— Perigoso, é. Mas ordem é ordem. Se tudo correr bem...

— Também não era para ser assim tão depressa... — gaguejou o Embaixador: — Por que não usam outra coisa?

— O que é que o senhor queria que usássemos? — sorriu o engenheiro.

— Marteletes elétricos, por exemplo...

— Marteletes elétricos? Que vem a ser isso?

— Bem, eu achei que podia existir qualquer coisa assim, mais eficiente...

— Mais eficiente que dinamite, só bomba atômica — o engenheiro gracejou.

O Embaixador ficou por ali, roendo as unhas de aflição. Ao aviso das autoridades, afastou-se afinal para a areia da praia, aguardando o momento da catástrofe; não havia mais nada a fazer. Alguém a seu lado dizia:

— Eta, Brasil! Vai derrubar o quarteirão inteiro.

Outros comentários levianos se faziam ouvir. E se apelasse para o Presidente, mandando suspender aquela loucura? Maldizia a si mesmo por havê-la sugerido. Não dava tempo. Agora era esperar o pior.

Chegara o momento. O engenheiro contava os segundos. Terrível explosão se fez ouvir — e nada aconteceu. O edifício nem se abalou — passada a nuvem de poeira e fumaça, pôde ser visto ainda de pé, incólume. Providências foram tomadas para dobrar a carga.

— Dobrar a carga! Valha-me, Nossa Senhora.

Eram dez horas da noite. A nova explosão foi marcada para as duas da madrugada. Ele não arredaria pé dali, embora se lembrasse de repente que tinha importante compromisso ainda para aquela noite. Compromisso? Quer maior compromisso do que este, centenas de vidas em perigo por sua culpa? E aguardou como um mártir o momento da execução.

Quando finalmente o edifício ruiu, tornou a abrir caminho, em meio à poeira:

— Não houve vítimas? Me digam se não houve vítimas.

E só saiu dali depois de reassegurado que tudo correra bem, a demolição fora um sucesso. Mais tarde, no Sacha's, abriu champanha para celebrar, contente e feliz.

— Celebrar o quê?—lhe perguntavam.

— A demolição: não houve vítimas.

O ESPELHO DO GENERAL

DIZIAM que tinha levado um coice de cavalo na cabeça. Outros diziam que não, ele sempre fora assim mesmo. Tchê! O Tenente Bruno além do mais era gaúcho. Andava de pernas abertas, de tanto que já montara. O espantalho das famílias: lá vem o Tenente Bruno! E as mães, pressurosas, recolhiam as filhas da calçada. No hotel o viajante perguntava: qual é ele? Apontavam: aquele baixinho, de quepe levantado. E o gerente do hotel consultava o relógio: se os senhores andarem depressa ainda chegarão em tempo de ver o tenente fechar o cabaré.

Tchê! O Tenente Bruno está chegando. De repente, a vida no seu pelotão passava a transcorrer em ambiente de grande atividade. Os praças corriam para a baias, de repente os animais passavam a receber suas rações de feno religiosamente às horas certas. E lava daqui, varre dali, no campo de instrução o pelotão de recrutas marchando sob as ordens do sargento, um, dois! um, dois! bom dia, Tenente Bruno, como vai passando o senhor? Ia entrando sem olhar para os lados — o capitão já chegou? Se não chegou, me acordem quando chegar. E ia tirar uma tora. O capitão não ligava: não adianta, é doido esse menino. E o Tenente Bruno: Tchê! tchê! é uma besta aquele capitão.

*

Quando acordava, ia juntar-se aos outros oficiais na pista de treinamento. Sentados nos travões da cerca, viam os recrutas saltando obstáculos:
— Bate as pernas, seu!
— Vai refugar! Olha: refugou.
— Larga a patilha, sua besta!
— Tchê! Perna de pau.
Às vezes o general dava uma incerta. Hasteava-se a bandeirinha, a corneta convocava às pressas o pessoal. O Tenente Bruno olhava de lado e não consertava o quepe. Protótipo do desenquadrado. O capitão estrilava:
— Conserta esse quepe, menino! Você não vai se apresentar ao general assim.
Mas o que o general queria era montar. Seu cavalo, árabe de puro sangue, era guardado em boxe especial, separado. Lá dentro o cavalinho nadava em serragem todo dia renovada, tinha feno de primeira, banho duas vezes ao dia, dois praças só para ele. Brilhante, escovado, o animal olhava tristemente da janela as cavalariças onde os outros se irmanavam na uniformidade plebéia do mesmo feno, dos mesmos coices e do mesmo cheiro de excremento. Vinha o ferrador examinar os cascos, a sela especial de cepilho levantado era trazida, depois de escovada mais uma vez, os ferros brilhavam. Media-se com o toco do braço a altura dos loros, o general tinha pernas

curtas. Interditava-se desde cedo o picadeiro, depois de cuidadosamente alisada a areia do chão. Até o espelho tinha de levar uma flanela para ficar bem limpo e o cavaleiro poder se olhar no picadeiro, corrigindo a posição.

— Com espelho ou sem espelho, ele não tem arranjo — dizia o Tenente Bruno. — É um saco de farelo.

Para evitar observações como essa, é que o general montava a portas fechadas.

*

Naquela manhã o Tenente Bruno chegou ao quartel e encontrou o Esquadrão em polvorosa: ia chegar o novo espelho!

Esse espelho tinha a sua história. Gerações e gerações de oficiais e praças que passaram por ali ouviam falar no espelho já lendário: cinco por dez metros, de cristal do legítimo, mais de cem contos, vinha da Europa, já fora despachado, estava para chegar.

Havia anos que estava para chegar. Muito tenente que esperava ser o primeiro a vê-lo era agora coronel. E os praças sacudiam a cabeça, incrédulos:

— Se é tão grande assim, vai precisar de um navio especial.

— *Naviu* não, seu burro: naVIO.

— Eu sou do Sul, minha besta: *naviu*. Vai corrigir sua mãe.

— E que é que vão fazer com o espelho que já tem?

— Com certeza vai pro boxe do cavalo do general.

Se o sargento ia passando, corrigia:

53

— Cavalo *pertencente* ao general.

Pois agora ia mesmo chegar! O capitão viera mais cedo, dirigia os preparativos, dava ordens, gesticulava:

— Você aí! Abre mais esse portão, animal! Não está vendo que o caminhão já vem?

Em verdade um caminhão apontara na esquina, galgava a ladeira sob o peso de um caixote enorme, atravessado. Um pelotão foi logo mobilizado para depositar o caixote no pátio. Todos se agrupavam, querendo ver — todos, menos o Tenente Bruno, que, mal chegando e ao saber que não havia instrução, não quis indagar por que, rumou para a cama mais próxima.

Aberto o caixote, houve um instante de expectativa e logo corria um murmúrio de decepção: era realmente um espelho, grande, bonito, especial para o picadeiro — mas não refletia nada senão os rostos suados dos que haviam trabalhado, como outro espelho qualquer.

Então surgiu a primeira dificuldade: o espelho não passava na porta do picadeiro. E o general queria o espelho lá dentro, ia montar ainda naquela tarde... O capitão não teve dúvida: mandou alargar a porta. Os tenentes se arriscavam a dar opinião, o capitão gritava, nervoso, pedia silêncio, xingava. Estava jogando sua carreira naquele espelho. Ao vê-lo a salvo, dependurado em lugar do outro, suspirou aliviado e mandou tocar o rancho, que era o que todos esperavam: atrasara-se duas horas, mas para o júbilo da soldadesca, foi ordenado naquele dia ao cozinheiro bolinhas verde-oliva em vez de canjiquinha.

*

O Tenente Bruno acordou ao toque de rancho, e saiu para o pátio, espreguiçando. A vida do Esquadrão voltara à normalidade. O imenso caixote fora removido e somente pequenos maços de palha aqui e ali denunciavam o acontecimento que enchera toda a manhã. A porta do picadeiro, semidestruída, chamou a atenção do tenente. Entrou, curioso, viu dois praças conversando junto ao cavalo do general, já encilhado, à espera. A luz do sol, passando pela fresta entre a parede e o teto, estendia no ar uma cortina luminosa e ia atingir o espelho, arrancando reflexos. Os dois homens se perfilaram, ao ver o tenente.

— Tchê! Um espelho novo — disse ele apenas, e calçando o estribo, jogou habilmente a perna, cavalgando o animal. Os praças quiseram protestar, mas nem tiveram tempo: o tenente já dava uma volta no picadeiro, a trote curto, no cavalo do general. Pertencente ao general.

— Seu tenente! É melhor apear. O general chega de repente, vai haver alteração.

E se olhavam, assustados. O tenente ria, estendendo o trote. Agora galopava, dando voltas, tchê! tchê! gritava, entusiasmado com o cavalo. Depois freou de repente, olhou-se ao espelho, imitando o general. Lá fora a corneta soava, o general estava chegando. Os dois soldados recuaram mais para o canto, apalermados, sem saber o que fazer. Um falou ainda: "Seu tenente, o general..." Toque de reunir, lá fora. Cavalo e cavaleiro, imóveis, se olhavam agora no espelho; a luz do sol cruzava o ar e batia em cheio, refletindo violentamente um cavalo amarelo, brilhante, como um cavalo de fogo. De repente o cavalo cá embaixo se espantou, ergueu-se nas duas patas num salto inesperado, a figura luminosa se precipitou como um raio, o espelho se espatifou em mil pedaços. Um dos soldados soltou um grito de horror, enquanto o tenente era atirado longe e o animal tombava, espadanando na areia. Um jorro de sangue vivo esguichava do chão, manchando a parede de vermelho. O cavalo agitava as patas cada vez mais lentamente e tinha o pescoço aberto, rasgado, numa poça de sangue. O tenente se ergueu, assustado, sacudiu a areia da farda: sem um arranhão. Depois foi saindo, como se nada houvesse acontecido. O general surgiu correndo em meio aos soldados:

— Chamem o veterinário! Às vezes ainda há tempo.

Não havia: o animal já estava morto. O capitão se lastimava:

— Além do mais isso vai dar um inquérito complicadíssimo, nem quero pensar. Complicadíssimo.

O general ordenou que se prendesse o tenente. Mas ninguém sabia onde ele se metera. Depois, desgostoso, se retirou. E no Esquadrão, durante alguns dias, falou-se muito no espelho, no cavalo, no Tenente Bruno. Uns asseguravam que ele sempre fora meio doido; outros que não, que levara um coice na cabeça.

CORRERIA
NA ESTAÇÃO DE NÁPOLES

CHEGAR até a estação era fácil: a estrada me conduziria diretamente até lá. E a estação de Nápoles se distingue logo, foi arrasada pelos bombardeios da guerra, já faz mais de quinze anos e só agora começaram a consertar. Eu estava decidido a voltar naquela mesma noite para Roma. Tinha apenas de devolver e pagar o carrinho que havia alugado.

— O próximo trem sai às seis e trinta e oito — me informaram.

Acertei meu relógio pelo da estação: eram exatamente seis da tarde. Dava tempo, pois: voltei ao carrinho e saí feito maluco pelas ruas de Nápoles, completamente desconhecidas para mim. A agência de automóveis era longe, num lugar chamado Riviera di Chiaia — tinha de atravessar toda a cidade. De táxi levara antes vinte minutos para localizá-la — mas eu podia descontar as voltas desnecessárias, que certamente o chofer dera para aumentar o preço da corrida, segundo o sistema napolitano. Se a sorte me ajudasse, eu chegaria em dez minutos.

Cheguei em quinze, depois de malabarismos na enxurrada do tráfego, entre ônibus e caminhões. Trançando aqui e ali naquele carrinho de brinquedo, ao mesmo tempo que tentava localizar-me no itinerário já traçado segundo o mapa aberto ao colo, parece que despertei a simpatia dos guardas para a minha pressa: me despachavam em frenéticos gestos tão logo interrompia o tráfego para lhes pedir uma informação qualquer em italiano estropiado.

Fui chegando e tentando liquidar logo a conta para escafeder-me, mas o homem me recebeu com enervante pachorra: examinou o carro para ver se estava tudo em ordem, fez contas e mais contas, quis saber quantos quilômetros eu percorrera, quantos litros de gasolina havia gasto.

— Pelo amor de Deus, depressa, que tenho de pegar um trem.

Ele afinal me deixou ir, e eram seis e vinte. Precipitei-me até um táxi:

— Para a estação, súbito, súbito! Tenho dez minutos para pegar um trem.

Se eu viera em quinze, ele podia voltar em dez: o tráfego de volta era bem mais fácil. Fui calculando rapidamente: dez minutos para chegar; três minutos para comprar a passagem; um minuto para me informar de que plataforma o trem partiria, detalhe que me havia escapado — eram mais de vinte plataformas.

De súbito me lembrei da mala. Havia deixado a mala no depósito de bagagens dois dias antes, quando desembarcara — já ia voltando para Roma sem a mala! No mínimo mais três minutos para apanhá-la. Com isso, eram sete: se eu chegasse às seis e meia, teria apenas um de vantagem.

— Mais depressa, chofer, porca miséria!

— O senhor já perdeu o trem.

— Faltam oito minutos.

Ele pensou um pouco — deteve o carro para pensar — e se voltou, decidido:

— Quer saber de uma coisa? A gente ainda pega, o senhor vai ver só.

Deu uma guinada no carro, tomou o caminho da praia, que era mais longo, mas que vinha a ser mais curto — segundo uma dialética lá dele que não cheguei a entender. Saímos numa disparada louca. Olhei o relógio: seis e trinta e cinco.

— Inútil — suspirei, derrotado: — Já perdemos.

— Perdemos coisa nenhuma — reagiu ele, num ímpeto, como se também fosse embarcar: — Olha aí, chegamos.

Fui pagando e saindo feito um rojão, sem esperar o troco. No guichê de informações mal me detive:

— Para Roma?

— Plataforma doze.

Desisti da passagem: compraria no próprio trem, se tal fosse possível; se não fosse, me atiravam pela janela — mas embarcar, eu embarcava. Exibi o recibo da mala no depósito, depressa, depressa! um trem apitava, a campainha de partida deitando alarma como em dia de bombardeio. O homem me trouxe a mala, não era a minha. Um minuto, quarenta segundos. Esta não, a outra! Tomar aquele trem era para mim agora um caso de vida ou morte, eu não passaria a noite em Nápoles sem saber o que fazer nem aonde ir. Agarrei finalmente a mala e saí correndo. O homem saiu correndo atrás de mim:

— Espere!

— Detive-me, ofegante:

— O quê?

— O recibo. O senhor não me deu o recibo.

Foi o que me perdeu. Dei-lhe o recibo e tornei a correr, era tarde: cheguei a três metros do trem e ele foi se afastando lentamente, deixando-me cada vez mais para trás. Parei, enxuguei o suor do rosto e de despeito até me deu vontade de rir: que idiotice a minha, para que essa correria toda?

Logo me senti mais idiota, quando voltei a indagar e me informaram simplesmente que havia um trem para Roma de meia em meia hora.

REUNIÃO DE MÃES

NA REUNIÃO de pais só havia mães. Eu me sentiria
constrangido em meio a tanta mulher, por mais
simpáticas me parecessem, e acabaria nem entrando
— se não pudesse logo distinguir, espalhadas no auditório, duas ou três presenças masculinas que parti-
lhariam de meu ressabiado zelo paterno.

Sentei-me numa das últimas filas, para não causar
espécie à seleta assembléia de progenitoras. Uma delas fazia tricô, e várias conversavam, já confraterni-
zadas de outras reuniões. O Padre-Diretor tomou as-
sento à mesa, cercado de professoras, e deu início à
sessão.

Eu viera buscar Pedro Domingos para levá-lo
ao médico, mas desta vez cabia-me também participar antes da reunião. Afinal de contas andava mesmo
precisando de verificar pessoalmente a quantas o menino andava.

O Padre-Diretor fazia considerações gerais sobre o uniforme de gala a ser adotado. A gravatinha é
azul? — perguntou uma das mães. Meia três-quar-

tos? — perguntou outra. E o emblema no bolsinho? — perguntou uma terceira. Outra ainda, à minha frente, quis saber se tinha pesponto — mas sua pergunta não chegou a ser ouvida.

Invejei-lhes a desenvoltura. Tive vontade de perguntar também alguma coisa, para tornar mais efetivo meu interesse de pai — mas temi aquelas mães todas voltando a cabeça, curiosas e surpreendidas, ante uma destoante voz de homem, meio gaguejante talvez de insegurança. Poderia também não ser ouvido — e se isso me acontecesse eu sumiria na cadeira. Além do mais, não me ocorria nada de mais prático para perguntar senão o que vinha a ser pesponto.

Acabei concluindo que tanta perguntação quebrava um pouco a solene compostura que devíamos manter, como responsáveis pelo destino de nossos filhos. E dispensei-me de intervir, passando a ouvir a explanação do Padre-Diretor:

— Chegamos agora ao ponto que interessa: o quinto ano. Depois de cuidadosa seleção, foi dividido em três turmas — a turma 14, dos mais adiantados; a turma 13, dos regulares; e a turma 12, dos atrasados, relapsos, irrequietos, indisciplinados. Os da 13 já não são lá essas coisas, mas os da 12 posso assegurar que dificilmente irão para a frente, não querem nada com estudo.

Fiquei atento: em qual delas estaria o menino? Pensei que o Diretor ia ler a lista de cada turma — o meu certamente na 14. Não leu, talvez por consideração para com as mães que tinham filhos na 12. Várias, que já sabiam disso, puseram-se a falar ao mesmo tempo: não era culpa delas; levavam muito dever para casa, não se habituavam com o semi-internato. Uma — a do tricô, se não me engano — chegou mesmo a se queixar do ensino dirigido, que a seu ver não estava dando resultado. Outra disse que tinha três filhos, faziam provas no mesmo dia, como prepará-los de uma só vez? O Padre-Diretor sacudiu a cabeça, sorrindo com simpatia — não posso nem ao menos lastimar que a senhora tenha tanto filho. E voltou a falar nos relapsos, um caso muito sério. Não vai esse Padre dizer que meu filho está entre eles, pensei. Irrequieto, indisciplinado. Ah, mas ele havia de ver comigo: entre os piores!

E por que não? Quietinho, muito bem mandado, filhinho do papai, maria-vai-com-as-outras ele não era mesmo não. Desafiei o auditório, acendendo um cigarro: ninguém tinha nada com isso. Criança ainda, na idade mesmo de brincar e não levar as coisas tão a sério. O curioso é que não me parecesse assim tão vadio — jogava futebol na rua, assistia à televisão, brincava de bandido, mas na hora de estudar o rapazinho estudava, então eu não via? Quem sabe se procurasse ajudá-lo, dar uma mãozinha... Mas essas coisas que ele andava estudando eu já não sabia de cor, tinha de aprender tudo de novo. Outro dia, por exemplo, me embatucou perguntando se eu sabia como se chamam os que nascem na Nova Guiné. Ninguém sabe isso, meu filho, respondi gravemente. Ah, não sabe? Pois ele sabia: guinéu! Não acreditei, fui olhar no dicionário para ver se era mesmo. Era. Talvez estivesse na turma 13, bem que sabia lá uma coisa ou outra, o danadinho.

Agora o Diretor falava na comida que serviam ao almoço. Da melhor qualidade, mas havia um problema — os meninos se recusavam a comer verdura, ele fazia questão que comessem, para manter dieta adequada. No entanto, algumas mães não colaboravam. Mandavam bilhetinhos pedindo que não dessem verdura aos filhos.

Eis algo que eu jamais soube explicar: por que menino não gosta de verdura? Quando menino eu também não gostava.

— Pedem às mães que mandem bilhetinhos, e não é só isso: usam qualquer recurso para não comer verdura. Hoje mesmo me apareceu um com um bilhete da mãe dizendo: não obrigar meu filho a comer verdura. Só que estava escrito com a letra do próprio menino.

Chegada era a hora de levá-lo ao médico — uma professora amiga foi buscá-lo para mim.

— Meu filho — perguntei, ansioso, assim que saímos: — Em que turma você está? Na 12 ou na 13?

— Na 14 — ele respondeu, distraído. Respirei com alívio: e nem podia ser de outra maneira, não era isso mesmo?

— Fico satisfeito de saber — comentei apenas.

Ele não perdeu tempo:

— Então eu queria te pedir um favor — aproveitou-se logo: — Que você mandasse ao Padre-Diretor um bilhete dizendo que eu não posso comer verdura.

O HOMEM NU

Ao ACORDAR, disse para a mulher:

— Escuta, minha filha: hoje é dia de pagar a prestação da televisão, vem aí o sujeito com a conta, na certa. Mas acontece que ontem eu não trouxe dinheiro da cidade, estou a nenhum.

— Explique isso ao homem — ponderou a mulher.

— Não gosto dessas coisas. Dá um ar de vigarice, gosto de cumprir rigorosamente as minhas obrigações. Escuta: quando ele vier a gente fica quieto aqui dentro, não faz barulho, para ele pensar que não tem ninguém. Deixa ele bater até cansar — amanhã eu pago.

Pouco depois, tendo despido o pijama, dirigiu-se ao banheiro para tomar um banho, mas a mulher já se trancara lá dentro. Enquanto esperava, resolveu fazer um café. Pós a água a ferver e abriu a porta de serviço para apanhar o pão. Como estivesse completamente nu, olhou com cautela para um lado e para outro antes de arriscar-se a dar dois passos até o embrulhinho deixado pelo padeiro sobre o mármore do parapeito. Ainda era muito cedo, não poderia aparecer ninguém. Mal seus dedos, porém, tocavam o pão, a porta atrás de si fechou-se com estrondo, impulsionada pelo vento.

Aterrorizado, precipitou-se até a campainha e, depois de tocá-la, ficou à espera, olhando ansiosamente ao redor. Ouviu lá dentro o ruído da água do chuveiro interromper-se de súbito, mas ninguém veio abrir. Na certa a mulher pensava que já era o sujeito da televisão. Bateu com o nó dos dedos:

— Maria! Abre aí, Maria. Sou eu — chamou, em voz baixa.

Quanto mais batia, mais silêncio fazia lá dentro.

Enquanto isso, ouvia lá embaixo a porta do elevador fechar-se, viu o ponteiro subir lentamente os andares... Desta vez, era o homem da televisão!

Não era. Refugiado no lanço de escada entre os andares, esperou que o elevador passasse, e voltou para a porta de seu apartamento, sempre a segurar nas mãos nervosas o embrulho de pão:

— Maria, por favor! Sou eu!

Desta vez não teve tempo de insistir: ouviu passos na escada, lentos, regulares, vindos lá de baixo... Tomado de pânico, olhou ao redor, fazendo uma pirueta, e assim despido, embrulho na mão, parecia executar um *ballet* grotesco e mal ensaiado. Os passos na escada se aproximavam, e ele sem onde se esconder. Correu para o elevador, apertou o botão. Foi o tempo de abrir a porta e entrar, e a empregada passava, vagarosa, encetando a subida de mais um lanço de escada. Ele respirou aliviado, enxugando o suor da testa com o embrulho do pão. Mas eis que a porta interna do elevador se fecha e ele começa a descer.

— Ah, isso é que não! — fez o homem nu, sobressaltado.

E agora? Alguém lá embaixo abriria a porta do elevador e daria com ele ali, em pêlo, podia mesmo ser algum vizinho conhecido... Percebeu, desorientado, que estava sendo levado cada vez para mais longe de seu apartamento, começava a viver um verdadeiro pesadelo de Kafka, instaurava-se naquele momento o mais autêntico e desvairado Regime do Terror!

— Isso é que não — repetiu, furioso.

Agarrou-se à porta do elevador e abriu-a com força entre os andares, obrigando-o a parar. Respirou fundo, fechando es olhos, para ter a momentânea ilusão de que sonhava. Depois experimentou apertar o botão do seu andar. Lá embaixo continuavam a chamar o elevador. Antes de mais nada: "Emergência: parar". Muito bem. E agora? Iria subir ou descer? Com cautela desligou a parada de emergência, largou a porta, enquanto insistia em fazer o elevador subir. O elevador subiu.

— Maria! Abre esta porta! — gritava, desta vez esmurrando a porta, já sem nenhuma cautela. Ouviu que outra porta se abria atrás de si. Voltou-se, acuado, apoiando o traseiro no batente e tentando inutilmente cobrir-se com o embrulho de pão. Era a velha do apartamento vizinho:

— Bom dia, minha senhora — disse ele, confuso. — Imagine que eu...

A velha, estarrecida, atirou os braços para cima, soltou um grito:

— Valha-me Deus! O padeiro está nu!

E correu ao telefone para chamar a radiopatrulha:

— Tem um homem pelado aqui na porta!

Outros vizinhos, ouvindo a gritaria, vieram ver o que se passava:

— É um tarado!

— Olha, que horror!

— Não olha não! Já pra dentro, minha filha!

Maria, a esposa do infeliz, abriu finalmente a porta para ver o que era. Ele entrou como um foguete e vestiu-se precipitadamente, sem nem se lembrar do banho. Poucos minutos depois, restabelecida a calma lá fora, bateram na porta.

— Deve ser a polícia — disse ele, ainda ofegante, indo abrir.

Não era: era o cobrador da televisão.

EXPERIÊNCIA DE RIBALTA (I)

SEMPRE que alguém me pergunta "por que não tenta o teatro?", tenho por um instante a distraída veleidade de acreditar que a sugestão se refere a mim não como escritor, mas como ator. Dou uma resposta qualquer, que por fora se refere vagamente à incompatibilidade dos gêneros literários, mas que por dentro pretendia ser outra, esboçada com um sorriso modesto:

— Não tenho muita experiência de ribalta.

Em verdade minha experiência de ribalta foi curta, porém definitiva.

O primeiro responsável pela minha acidentada carreira dramática foi o saudoso Professor Asdrúbal Lima, de cujo canto orfeônico, no Ginásio Mineiro, Hélio Pellegrino e eu primávamos em fugir pela janela depois da chamada, tão logo ele se sentava ao piano. Às vezes nos arrependíamos e tornávamos a entrar pela porta, porque de súbito a cantoria infrene da malta lá dentro nos parecia bem mais divertida que as molecagens cá de fora.

Mas o preço da liberdade era a eterna vigilância: de vez em quando ele se voltava para botar um pouco de ordem no "viva-o-sol-do-céu-da-nossa-terra-vem-surgindo-atrás-da-linda-serra", que o pessoal esgoelava em ondas de arritmia, e dava com uma perna fujona acabando de desaparecer na janela: precipitava-se pela porta para pegar o pelintra — língua do P que parecia presidir-lhe os passos pesados e prestos na perseguição. E os demais, vendo aberto o galinheiro, escapavam cacarejando. Quando ele voltava, já não encontrava ninguém.

Lembro-me não sem ternura da inesperada distinção que me conferiu, esquecendo minhas estrepolias de aluno, ao convidar-me para representar na ópera "Cavaleria Rusticana", produzida, dirigida e por ele mesmo representada no papel principal, com sua admirável voz de barítono — distinção cujo mérito maior estava em perder alguns dias de aula para atender aos ensaios. Meu papel, como o de um colega igualmente distinguido, era pequeno, porém dos mais importantes, se levarmos em conta a primazia de entrada: tão logo subisse o pano já estaríamos, vestidos de coroinha, espargindo pétalas de rosas pelo pátio de uma Igreja — ato este cuja finalidade nem na noite da estréia cheguei a entender. Depois estávamos livres para nos distrairmos na coxia entre o vaivém dos atores — e justamente na noite da estréia essa foi, aliás, a origem da nota catastrófica.

Era no Teatro Municipal de Belo Horizonte — e naquela época espetáculo artístico-social de tal categoria, como diria hoje um cronista social, prometia acontecer com fúria louca. Tudo começou muito bem e cumprimos à risca nosso papel, compenetrados e graves — o que não durou mais que dois minutos. Depois abandonamos nossas batinas nos bastidores e nos distraímos brincando de pegador atrás dos cenários, enquanto lá no palco o espetáculo prosseguia a todo pano, em cantoria solta. Eis senão quando tropeço numa trave de madeira e rompo a tela do cenário para surgir como um rojão em pleno palco, em meio a um dueto, num tombo espetacular. Os cantores se engasgaram de susto e a platéia explodiu em gargalhadas. Levantei-me, meio tonto, apalpando o corpo para ver se não me machucara. Ao ter noção de onde estava não me ocorreu pedir desculpas em dó maior, como seria o caso, fugi espavorido. O pano caiu. O meu mundo caiu. Não me detive na caixa — nem a do teatro, nem a de pagamentos para receber a minha parte — pois, se não me engano, éramos todos amadores: de modo que não me ficaram devendo nada. Saí em ofegante corrida pela rua, com a impressão de ter mil barítonos nos meus calcanhares.

Se me detive neste primeiro lance dramático de minha atuação à luz da ribalta, não foi certamente para dar à posteridade um depoimento sobre os momentos culminantes de nosso teatro, de que tive a glória de participar: é que a morte recente de um antigo Professor veio trazer-me reminiscências envoltas hoje em adulta admiração pela figura do grande músico, mas tocadas também daquela irreverente simpatia que inspirava o mestre de orfeão, cuja competência nós, meninos, não sabíamos merecer.

Mesmo porque, não se encerrou aí minha brilhante carreira de ator, pontilhada de sucessos, não digo tão rasgadamente acidentados, todavia bem mais surpreendentes. A eles prometo voltar, como explica-

71

ção necessária ao respeitável público, de como só não me tornei sucesso de bilheteria, por não ter encontrado na época o acolhedor estímulo que a crítica dispensa hoje em dia às vocações inexistentes.

EXPERIÊNCIA DE RIBALTA (II)

SEM querer humilhar ninguém, modéstia à parte, também já fui galã do Teatro Nacional. Fiz minha auspiciosa estréia na peça "O Sacrifício", num palco armado em cima de um caminhão, para a exigente platéia de Carrancas, Minas Gerais, onde nós, escoteiros, estávamos acampados.

Coisa de menino — dirão. Absolutamente: eu era um trágico de quinze anos, cônscio do alto teor de dramaticidade de "O Sacrifício" e de minha responsabilidade no papel do próprio sacrificado. Tratava-se, ao que me lembro, de um roubo cuja culpa eu assumia, para encobrir o irmão de um amigo. As humilhações a mim infligidas em cena dariam para compensar as do próprio desempenho — não fora um engraçadinho ter movimentado o caminhão, ao cair do pano, caindo com ele todo o palco.

Depois do que, me meti em coisa ainda mais séria: nossa *tournée* nos levou à provecta cidade de Ouro Preto, onde à última hora cometemos a imprudência de abandonar "O Sacrifício", de sucesso garantido, em favor de nova peça mal ensaiada, para estréia no teatro local. Tratava-se agora de algo que acreditávamos satisfazer o fino gosto do distinto público ouro-pretano, a cujas tradições de cultura e civismo atenderíamos com original entrecho, girando em torno de um rapaz que por imposição do pai se furtava à conscrição militar. O rapaz era eu, e se não consegui, na vida real, inspirar-me em tão interessante sugestão, não foi por falta de sinceridade na interpretação de meu papel. Meu pai era um truculento dono de botequim, no qual me via obrigado a servir cerveja para os soldados que procuravam, com galhofas, conquistar-me para as suas fileiras. Houve interferência cívica de minha mãe, com rogos e súplicas, no sentido de me fazer cumprir o dever para com a pátria. E o velho ali firme; não queria nem ouvir falar em Exército, pois, se bem me lembro, a guerra já lhe levara um filho. Se eu quisesse ser soldado teria antes de passar por cima de seu cadáver.

Deixassem o velho em paz com a sua tão razoável idiossincrasia — mas não: havia também minha noiva, que vinha para o palco toda flosô, carregando uma cesta de flores colhidas no campo, e tentava conquistar as graças do futuro sogro para aquilo que a envergonhava em seu amado aos olhos das amigas — cujos noivos se orgulhavam de estar prestando serviço militar. Muito instrutivo, como se vê; o que todos queriam era ver minha caveira, atirando-me à caserna como se fosse a coisa mais distinta que podiam fazer pelo pobre rapaz. Graças a Deus o velho agüentava a mão, irredutível no seu repúdio à farda.

Se é de admirar que com isso uma peça inteira fora escrita, mais admirável ainda tinha sido nossa coragem de levá-la à cena no teatro de Ouro Preto, completamente lotado, e com entrada paga. Além do mais, poucas foram as fardas que conseguimos emprestado na reduzida guarnição local, para vestir a soldadesca que transitava pelo botequim, de modo que uns portavam apenas a túnica e outros o culote: razão de sobra teria meu pai para não me querer metido em meio a tropa tão mal-ajambrada. Com a agravante do vexame dado por um deles que, esquecido de seu modesto desempenho, aboletou-se numa mesa e se empilecou de cerveja verdadeira que adquiríamos pouco antes no botequim da esquina para a encenação.

Mas havia o veterano da Guerra do Paraguai, que viria complicar um pouco a situação. Seu impressionante relato comoveria o velho no terceiro ato, mas por um descuido natural na confusão reinante, ele errou a vez e entrou no segundo. Entrou, e como não soubesse de cor uma só linha da imensa fala que lhe cabia, tirou do bolso o seu papel e cinicamente pôs-se a lê-lo em tom de discurso. Era demais — tamanha foi a vaia que parecíamos estar num campo de futebol. Alguns espectadores mais exigentes já batiam em ostensiva retirada, antes do final da peleja. Meu pai não esperou mais: abriu mão de suas convicções com um gesto irritado e mandou que levassem o menino para o Exército, para o diabo, mas acabassem logo com aquilo. E ali mesmo arrematou a peça, voltando-se para o Zezé Andrade que, grimpado no alto de uma escada, controlava nervosamente o movimento do pano de boca: "Cai o pano!" — ordenou. Caiu o pano, a escada e o Zezé Andrade.

Tivemos de sair da cidade à sorrelfa, na calada da noite.

Depois disso, desgostoso com a incompreensão do público e o injusto silêncio da crítica, dei por encerrada minha carreira, abandonando para sempre a ribalta.

DONA CUSTÓDIA

AR DE empregada ela não tinha: era uma velha mirrada, muito bem arranjadinha, mangas compridas, cabelos em bandó num vago ar de camafeu — e usava mesmo um, fechando-lhe o vestido ao pescoço. Mas via-se que era humilde — atendera ao anúncio publicado no jornal porque satisfazia às especificações, conforme ela própria fez questão de dizer: sabia cozinhar, arrumar a casa e servir com eficiência a senhor só.

O senhor só fê-la entrar, meio ressabiado. Não era propriamente o que esperava, mas tanto melhor: a velhinha podia muito bem dar conta do recado, por que não? e além do mais impunha dentro de casa certo ar de discrição e respeito, propício ao seu trabalho de escritor. Chamava-se Custódia.

Dona Custódia foi logo botando ordem na casa: varreu a sala, arrumou o quarto, limpou a cozinha, preparou o jantar. Deslizava como uma sombra para lá, para cá — em pouco sobejavam provas de sua eficiência doméstica. Ao fim de alguns dias ele se acostumou à sua silenciosa iniciativa (fazia de vez em quando uns quitutes) e se deu por satisfeito: chegou mesmo a pensar em aumentar-lhe o ordenado, sob a feliz impressão de que se tratava de uma empregada de categoria.

De tanta categoria que no dia do aniversário do pai, em que almoçaria fora, ele aproveitou-se para dispensar também o jantar, só para lhe proporcionar o dia inteiro de folga. Dona Custódia ficou muito satisfeitinha, disse que assim sendo iria também passar o dia com uns parentes lá no Rio Comprido.

Mas às quatro horas da tarde ele precisou de dar um pulo ao apartamento para apanhar qualquer coisa que não vem à história. A história se restringe à impressão estranha que teve, então, ao abrir a porta e entrar na sala: julgou mesmo ter errado de andar e invadido casa alheia. Porque aconteceu que deu com os móveis da sala dispostos de maneira diferente, tudo muito arranjadinho e limpo, mas cheio de enfeites mimosos: paninho de renda no consolo, toalha bordada na mesa, dois bibelôs sobre a cristaleira — e em lugar da gravura impressionista na parede, que se via? Um velho de bigodes o espiava para além do tempo, dentro da moldura oval. Nem pôde examinar direito tudo isso, porque, espalhadas pela sala, muito formalizadas e de chapéu, oito ou dez senhoras tomavam chá! Só então reconheceu entre elas Dona Custódia, que antes proseava muito à vontade mas ao vê-lo se calou, estatelada. Estupefato, ele ficou parado sem saber o que fazer e já ia dando o fora quando sua empregada se recompôs do susto e acorreu, pressurosa:

— Entre, não faça cerimônia! — puxou-o pelo braço, voltando-se para as demais velhinhas: — Este é o moço que eu falava, a quem alugo um quarto.

Foi apresentado a uma por uma: viúva do de-

sembargador Fulano de Tal; senhora Assim-Assim; se
nhora Assim-Assado; viúva de Beltrano, aquele escri
tor da Academia! Depois de estender a mão a todas
elas, sentou-se na ponta de uma cadeira, sem saber
o que dizer. Dona Custódia veio em sua salvação.

— Aceita um chazinho?

— Não, muito obrigado. Eu...

— Deixa de cerimônia. Olha aqui, experimenta
uma brevidade, que o senhor gosta tanto. Eu mesma fiz.

Que ela mesmo fizera ele sabia — não haveria
também de pretender que ele é que cozinhava. Que
diabo ela fizera de seu quadro? E os livros, seus ca-
chimbos, o nu de Modigliani junto à porta substituído
por uma aquarelinha...

— A senhora vai me dar licença, Dona Custódia.

Foi ao quarto — tudo sobre a cama, nas cadei-
ras, na cômoda. Apanhou o tal objeto que buscava e
voltou à sala:

— Muito prazer, muito prazer — despediu-se,
balançando a cabeça e caminhando de costas como
um chinês. Ganhou a porta e saiu.

Quando regressou, tarde da noite, encontrou
como por encanto o apartamento restituído à arruma-
ção original, que o fazia seu. O velho bigodudo desa-
parecera, o paninho de renda, tudo — e os objetos
familiares haviam retornado ao lugar.

— A senhora...

Dona Custódia o aguardava, ereta como uma
estátua, plantada no meio da sala. Ao vê-lo, abriu
os braços dramaticamente, falou apenas:

— Eu sou a pobreza envergonhada!

Não precisou dizer mais nada: ao olhá-la, ele
reconheceu logo que era ela: a própria Pobreza En-

vergonhada. E a tal certeza nem seria preciso acrescentar-se as explicações, a aflição, as lágrimas comque a pobre se desculpava, envergonhadíssima: perdera o marido, passava necessidade, não tinha outro remédio — escondida das amigas se fizera empregada doméstica! E aquela tinha sido a sua oportunidade de reaparecer para elas, justificar o sumiço... Ele balançava a cabeça, concordando: não se afligisse, estava tudo bem. Concordava mesmo que de vez em quando, ele não estando em casa, evidentemente, voltasse a recebê-las como na véspera, para um chazinho.

O que passou a acontecer dali por diante, sem mais incidentes. E às vezes se acaso regressava mais cedo detinha-se na sala para bater um papo com as velhinhas, a quem já se ia afeiçoando.

Não tão velhinhas que um dia não surgisse uma viúva bem mais conservada, a quem acabou também se afeiçoando, mas de maneira especial. Até que Dona Custódia soube, descobriu tudo, ficou escandalizada! Não admitia que uma amiga fizesse aquilo com seu hóspede. E despediu-se, foi-se embora para nunca mais.

O CANTO DO GALO

ERA um homem que apanhava de mulher. Todo mundo na cidade sabia disso. Desde que se casara vinha levando surras diárias, e ao menor propósito: isto é hora de chegar da rua? Que é que você está me olhando? Andou bebendo outra vez? E tome pescoção. Ao fim já não havia propósito algum: era ir chegando e apanhando. Poderia reagir, se quisesse, a mulher era mais fraca do que ele. Em vez disso, limitava-se a defender a cabeça com os braços: que é isso, mulher? Você perdeu o juízo, mulher. Os vizinhos podem ouvir. Desde que se casara, isto é: para mais de nove anos. É lógico que os vizinhos ouviam, quase que participavam daquela cena diária: às vezes os mais curiosos vinham até espiar pelas janelas da rua, que eram baixas.

Com o tempo, o pobre deu mesmo para beber, e ficava sentado no botequim toda tarde, se lamuriando com os raros amigos que ainda se dignavam de acercar-se dele. Isso é uma vergonha, José, você não pode continuar assim. Mas o que é que você quer que eu faça? Minha mulher é uma fera. Experimente desacatá-la, para você ver só. O mais engraçado é que com os outros a mulher não era fera nenhuma, tratava todo mundo com delicadeza e educação — mas ninguém ousava perguntar por que diabo maltratava tanto seu desgraçado marido. Tem gente que gosta de apanhar — era o que os outros diziam, finalmente se afastando dele, dando-lhe as costas, indo fazer roda noutra mesa. E lá ficava ele, bebendo sozinho. Também, bebendo assim, não há mulher que agüente. Mas meu filho, ele bebe justamente por causa da mulher! E os mais experientes sacudiam a cabeça: uma vergonha. Isso não é homem. Comigo não tinha disso não.

Durante mais de nove anos a fio. O homem já estava um trapo de tanto beber e apanhar. No serviço zombavam dele, acabou deixando também de trabalhar. Pois se a mulher quer bater mesmo, motivo é que não há de faltar: andava mal vestido, barba por fazer, sempre bebendo ou sempre cheirando a cachaça e retardando o quanto podia a hora de ir para casa. Mas acabava tendo de ir, não ia dormir na rua. E era só bater na porta, a mulher o arrastava para dentro, aos empurrões, só fazia dizer meu Deus do céu, que é que eu fiz, mulher, para você me tratar dessa maneira, e ia chorar na cama, que é lugar quente.

Vai um dia os conhecidos estranharam a sua ausência no botequim da esquina. Era sempre o último abrigo que o acolhia, na ronda de outros botequins, antes de ir para casa enfrentar a megera. Será que caiu por aí na sarjeta já bêbado, hoje não agüentou nem chegar até aqui? Ou a mulher já deu para vir buscá-lo na rua, tangendo-o para casa a vassouradas, como um boi para o matadouro? Nada disso, lá vem ele ali na esquina, e que é que houve? Hoje está bem composto, os cabelos penteados, barba feita e anda a passos firmes, nem parece o mesmo. Que houve com você, José? Todos se acercam, quando ele se senta na mesa e pede uma talagada de cachaça. Que é que houve? Nunca me viram? E despachou os outros com um gesto, voltou-se, cruzou as pernas e ficou olhando a rua e fazendo hora, impassível. Quando a hora chegou, virou a cachaça de uma só vez, enxugou a boca com a manga do paletó e levantou-se: é hoje. Os outros, assombrados, foram seguindo rua abaixo atrás dele, que foi que houve? É o José, deu nele uma coisa, não bebeu quase nada, está todo bonitão com olhos brilhando que só vendo, hoje vai ter. E foram seguindo, os do bilhar nem tiveram tempo de largar o taco, também queriam ver o que havia com o José. E a turba foi se engrossando, praticamente a cidade inteira viera para a rua: alastrara-se a notícia de que o José naquele dia parecia disposto a acabar com a raça da mulher e todos queriam ver.

José atravessou a rua, subiu os três degraus de cimento de sua casa, e antes de bater na porta (havia muito a mulher lhe tomara a chave) olhou no relógio para se certificar bem se era mesmo a hora que costumava chegar nos outros dias. Do outro lado da rua os curiosos se mantinham a precavida distância — podia até haver tiro — mas espichavam os olhos e ouvidos para não perder nada da cena.

José bateu na porta e a mulher veio abrir. Deu com ele ali parado, ereto, bem penteado e barbeado, olhando-a firme nos olhos. Por cima dos ombros do marido viu a multidão do outro lado e abriu a boca para perguntar o que significa isso. Mas no que falou a primeira palavra, José ergueu o braço e desferiu-lhe tremendo bofetão na cara, que a projetou dentro de casa como um saco. Ele se adiantou, batendo com uma mão na outra, antes de fechar a porta ainda cumprimentou os circunstantes, dizendo com licença.

E a portas fechadas, começou a exemplar a mulher. Todos se precipitaram para a janela e assistiram, assistiram a tudo de olhos esbugalhados, a mulher gritando que é isto, José! você está maluco, você me mata, que é isso meu maridinho não faz isso comigo não. E o José a cada pescoção só fazia dizer toma, toma, e mais toma, com um ronco de tanta força que empregava, todos chegaram a temer que ele estivesse disposto a matar a mulher a pancadas — o que seria bem feito, concordavam alguns, com entusiasmo, bem feito, é bom para ela aprender que em homem não se deve bater assim porque se for homem mesmo a coisa um dia pega fogo, vocês não estão vendo?

E daquele dia em diante José deixou de apanhar. Parou de beber, passava no botequim só para uma cachacinha rápida, que isso também não faz mal a ninguém, em companhia dos amigos que voltaram a cercá-lo. Passou a ser respeitado por todo mundo, inclusive no emprego — voltou a trabalhar. E principalmente pela mulher, que protestava, gritava, chorava, mas no fundo achava bom e o tratava com carinho, meu José, meu homem, maridinho, meu cigano — e ele sempre a primeira coisa que fazia era ir chegando e descendo o braço na mulher.

DE UM PINTOR
QUANDO JOVEM

ERA uma pensão no Catete. Todas as noites o Pintor e o Arquiteto iam para o quarto do Professor.

— Professor, o senhor conhece aquela fotografia de Euclides da Cunha montado num cavalo branco? — perguntava o Pintor a certa altura. O Professor se indignava:

— Não existe essa fotografia! Juro que não existe! Não pode ser!

Era natural que o Professor se indignasse: sua especialidade vinha a ser exatamente Euclides da Cunha. Tinha uma bibliografia completa, nada lhe escapava. Inclusive cartas e fotografias. A biblioteca do Professor era toda guardada em malas, e quando o Professor queria citar um texto para ganhar a discussão, em geral sobre o próprio Euclides, era de se ver como ele abria e fechava malas e mais malas, esbaforido, espalhando livros pelo chão.

— Euclides era um chato — dizia o Pintor, e o Arquiteto secundava:

— Repórter metido a besta.

O Professor, furibundo, os expulsava do quarto.

*

No mais, ninguém saberia dizer de que matéria ele era professor. O Pintor e o Arquiteto não o deixavam em paz:

— Professor, quer me emprestar um binóculo?

O Professor não emprestava. Só emprestava seus binóculos para o serviço da Pátria. Porque o Professor, além de Euclides da Cunha, tinha duas especialidades: binóculos e bengalas. De vez em quando aparecia à porta um tenente do exército dizendo que o general tinha mandado pedir um binóculo emprestado. O Professor emprestava.

— Para o Estado-Maior eu empresto.

Carregava os binóculos numa gigantesca mala e ia postar-se nas fraldas do morro horas seguidas para depois regressar dizendo, categórico, aos outros hóspedes da pensão na sala de almoço:

— Podem desistir, porque vocês hoje não verão o Dedo de Deus.

Diga-se de passagem, ninguém estava pensando em ver o Dedo de Deus.

*

O Pintor pensava era em desvencilhar-se do Príncipe, seu vizinho de quarto, que volta e meia aparecia para pedir dinheiro emprestado.

— Vossa Alteza não tem vergonha? Um príncipe russo! Que diria o Czar, se soubesse?

— As borboletas não estão dando para o gasto.

O Príncipe colecionava borboletas. Quando as coisas iam bem, isto é, quando algum navio aportava no Rio, ele vendia alguns espécimes de sua coleção e, dinheiro no bolso, passava a desconhecer principescamente os amigos. Saía a passear pela praia a sua realeza, com um formoso galgo de sua propriedade, amarrado numa corda, e mal correspondia às mesuras do dono da pensão. Um dia o Poeta, que também costumava aparecer para filar o jantar, resolveu tirar a máscara do Príncipe:

— Isso nunca foi príncipe.

— É príncipe!

— Nem aqui nem na China.

— Na Rússia — concedia o Príncipe, sobranceiro.

— Pois então abana o rabo quando passar.

O Príncipe fazia uma mesura e ia saindo. Por pouco o Poeta não descia o braço no Príncipe — o que seria uma injustiça, estava-se vendo que o homem era Príncipe mesmo.

＊

Enquanto isso, o Professor, lá no seu quarto, se enchia de cerveja. Bebia cerveja numa saboneteira de alumínio, pois, segundo teoria sua, somente o alumínio preservava o gosto autêntico da cerveja. E eram tantas garrafas, que ele se envergonhava quando o garçom do botequim passava, carregando um caixote com duas dúzias:

— Vocês podiam fazer o favor de fechar a porta? — pedia, muito delicadamente, aos outros hóspedes, pelo corredor: — Vem aí uma senhora me visitar, prefere não ser vista. . .

O Pintor metia o nariz na porta:

— Dá licença, Professor?

— Entre, meu filho. Mas primeiro dê-se ao respeito: abotoe a camisa, aperte essa gravata. Assim. Agora entre, mas cuidado para não pisar em nada.

O Pintor entrava, cauteloso, passando entre livros, garrafas e bengalas:

— Professor, tem aí fora um amigo meu que queria conhecer sua coleção de bengalas, ele se interessa muito pelo assunto.

— É mentira. Se fosse verdade eu já o conheceria.

— ... um inédito de Euclides, Professor. Coisa rara, creio que o senhor ainda não viu...

— Já para fora, biltre.

E o Professor brandia suas duzentas bengalas.

*

Um dia o Arquiteto se portou de maneira imperdoável: vestiu-se elegantemente, como se fosse sair, mas dependurou no braço uma bengala que tomara emprestada e foi para o quarto do Professor. O Professor fingiu que não viu; conversou, binoculou, euclideou. Na hora em que o Arquiteto se despedia, porém, não resistiu:

— Você não me engana, jovem. Eu sei que essa bengala é falsa.

O Príncipe ia passando.

— Príncipe, vem tomar uma cerveja — convidava o Professor. E tirava a saboneteira do bolso.

— Não posso, Professor — agradecia o Príncipe, juntando os pés: — Vou caçar borboletas.

*

O Príncipe saía, o Arquiteto ria, o Professor se recolhia, e tudo se esfumava no que hoje para o Pintor é apenas lembrança de mocidade, num dia qualquer de 1929.

TRATAMENTO
EM PORTO ALEGRE

DEITEI-ME às três horas e às cinco me sentia alque-
brado como um velho, com uma insuportável dor
nas costas. Mal podia mexer-me na cama, mas ainda
assim me voltei, gemendo, e pude ver a causa de meu
padecimento: uma fresta na janela, pela qual pene-
trava uma lâmina do frio de Porto Alegre, fino como
punhal, indo ferir-me diretamente as costas. Chamei
meu companheiro de quarto, ele nem confiança: roncava como uma máquina de dormir — e dormia de
cuecas, o insensato, mas longe da janela, quem recebia a descarga de frio era eu. Resolvi apelar para a
telefonista do hotel:

— Estou morrendo de dor nas costas, não sei
que diabo é isso.

— Eu sei — disse ela, experiente: não seria o
primeiro hóspede que o frio gaúcho cortava em dois.
— Vou mandar aí a Dona Vanda, ela dá um jeito no
senhor.

— Quem é Dona Vanda? — perguntei, cauteloso.

— A enfermeira do hotel. O senhor pode ficar descansado, ela é competentíssima.

Alguns minutos depois Dona Vanda, competentíssima, irrompia no quarto, como se tivesse entrado pela janela montada numa vassoura. Meu companheiro nem se mexia, rosnando feliz, mergulhado nas mais fundas camadas do sono. Levantei-me, com um gemido, para fazer as honras da casa.

— Tire a roupa — ordenou ela.

— Tirar a roupa para quê?

— Para tomar injeção.

— No braço mesmo — resmunguei, limitando-me a arregaçar a manga do pijama.

Mas a proficiência de Dona Vanda, logo revelada na maestria com que me aplicou a injeção, deixou-me à vontade para descrever o meu padecimento — e mesmo para despir o paletó, a uma ordem sua.

— Deite-se aí na cama, de bruços, que vou dar um jeito nisso.

— O que é que a senhora vai fazer?

— Isso é comigo. Deite-se logo, menino. Tem copo aqui no quarto?

Resolvi render-me à sua maternal eficiência, e deitei-me. Ela recolheu todos os copos que pôde encontrar, uns quatro, e pôs-se a fazer qualquer coisa com eles que eu não podia ver, riscando fósforos, acendendo uns algodõezinhos molhados em álcool.

— O que é que a senhora está fazendo? Despacho?

Como resposta, ela aplicou-me de súbito um copo quente às costas, soltei um grito mais de susto que de dor. Ventosas! Senti minha pele encolher-se, sugada pelo vácuo, como se todo meu corpo estivesse sendo chupado para o interior do copo.

— Assim. Respire fundo.

Quando eu ia protestar, outro copo quente se colou às minhas costas num violento chupão, como um beijo de cavalo.

— Respire. Torne a respirar. Não está melhor?

Em pouco eu tinha dependurados às costas nada menos que quatro copos, e pareciam estar aderidos ali para sempre, como se fizessem parte do meu corpo, jamais se desprenderiam. Tentei desajeitadamente arrancar um deles, o que minha mão podia alcançar, não consegui. O mais estranho é que se misturava agora à dor nas costas, agravada pela das ventosas, uma vaga sensação de bem-estar, que me pareceu nascida do mais puro masoquismo.

— Tira isso daí, Dona Vanda — implorei, tentanto erguer-me, e os copos chacoalharam, roçando uns nos outros. Constragia-me a sensação de ridículo ante o insólito tratamento, infelizmente sem testemunhas. Mas logo uma testemunha saltou:

— Magnífico! Extraordinário! Dona Vanda é a maior! — e meu companheiro ergueu-se das cobertas, num arroubo de entusiasmo, esquecido de que estava de cuecas. Logo se enrolou nos lençóis e pôs-se a andar pelo quarto, excitado como Nero ante o incêndio de Roma: — Pensei até que estava sonhando, ouvindo essa conversa. Ventosas! Dona Vanda, a senhora trouxe as sanguessugas?

Dona Vanda se queimou:

— Mais respeito, está ouvindo? O senhor está me levando na troça, mas vai ver só como ele fica logo bom com o tratamento — e voltou-se para mim:

— Está melhor, meu filho?

Eu não podia me sentir melhor, com aquelas excrescências de vidro dependuradas em mim —

ainda mais depois que ela me forçara a vestir o paletó de pijama sobre os copos e me deixara numa postura grotesca como a de um corcunda de quatro costados. O outro se esvaía em gargalhadas:

— Deixa ele sair assim hoje, dona Vanda. Vai fazer o maior sucesso.

Dona Vanda não deixou. Arrancou-me os copos, que se despregaram com um ruído de rolha de champanha. Passei a mão pelas costas como se acariciasse as próprias Montanhas Rochosas. Ela disse que ainda não terminara:

— Agora uma embrocação que eu inventei, não ensino o segredo a ninguém.

Pôs-se a comandar ordens pelo telefone, pelos corredores, e em pouco desfilavam pela minha porta vários empregados do hotel trazendo isso e mais aquilo — álcool, iodo, e até um pincel. Já em pleno domínio da alquimia medieval, ela se curvou como uma feiticeira, preparando misteriosamente a sua mezinha, com a qual pincelou-me as costas como se pintasse uma parede.

O mais extraordinário, porém, é que o efeito do bálsamo logo se fez sentir e como afugentada por poderoso exorcismo, senti a dor abandonar-me o corpo. Em pouco estava completamente bom. Dona Vanda, sem se espantar com o resultado, despediu-se, cobrando apenas cinqüenta cruzeiros. E só aceitou cem depois de muita relutância, embora merecesse mais de mil.

CEDO PARA JANTAR

— AINDA é cedo para o jantar, vamos tomar qualquer coisa — sugeriu o dono da casa.

O casal visitante aquiesceu e a mulher foi providenciar a bebida. Em pouco sairiam para jantar numa boate. Os dois homens passaram à varanda, sob a alegação de que era mais fresco. Cada um com seu copo de uísque, começaram logo, baixinho, a trocar anedotas, entre risadas. As duas mulheres, que não tinham tanta intimidade e não gostavam de beber, ficaram na sala olhando uma para a outra e limitando-se a repisar a velha conversa sobre vestidos e empregadas.

A certa altura uma delas veio até a varanda:

— Vocês não acham que já está na hora?

O dono da casa concordou, enquanto servia para ambos mais uma dose:

— Vamos tomar mais unzinho só.

Esta foi a única interrupção que tiveram, durante o resto da noite. Dali por diante, não se sabe que assunto as duas mulheres descobriram, o certo é que lá ficaram na sala, também falando baixo e aos risinhos, enquanto os maridos bebiam.

O dono da casa só teve a incômoda consciência de que já deviam ter saído, quando passou pela sala numa surtida ao banheiro: viu sua mulher cabeceando de sono enquanto a outra, pelo tom de voz e pela gesticulação, devia estar contando a longa e tormentosa história de sua vida. Mas afogou o conhecimento da situação em mais uma dose, de volta à varanda:

— Como eu ia dizendo...

O amigo aceitou de bom grado o reinício da conversa, já prelibando numa gargalhada o que o outro ia dizer. O outro então disse, e ele retrucou uma resposta mais engraçada ainda, ambos riam. Em verdade o que diziam já não fazia sentido algum, e eles apenas exerciam em santa paz o sagrado direito de conviver. A certa altura um perguntou ao outro se já não estaria na hora de saírem para jantar.

— Daqui a pouquinho. Vocês chegaram às oito horas.

— Oito e meia.

— Pois então? Devem ser umas dez.

— Mais.

— E daí? Dez e pouco. Tem tempo. Você está com fome?

— Nem um pouco. Você?

— Eu confesso que tomaria mais um.

— Pois vamos tomar mais um último e saímos.

Tomaram mais quatro, depois de tirar o paletó e afrouxar a gravata. Descobriram assunto novo e o exploraram, a língua um pouco grossa, mas as palavras perfeitamente inteligíveis. De súbito, porém, o visitante começou a sentir um calor na nuca — voltou-se, espantado, olhando para fora, viu um clarão nascendo do mar.

— O que é aquilo? O mar está pegando fogo.

O outro fez-lhe ver, às gargalhadas, que era simplesmente o sol:

— O astro-rei, sua besta.

— Não é possível.

Ergueu-se, e só então percebeu que estava completamente bêbado. Vacilou sobre as pernas e caiu ao chão. O outro veio em sua ajuda, acabou caindo também. Resolveram ignorar discretamente a queda, mastigando umas desculpas sobre a perda de equilíbrio e a lei da gravidade.

— Acho que já está na hora de jantarmos — sugeriu um.

— É isso mesmo: está na hora. Podemos ir. Onde estão elas?

Na sala, deram com as mulheres adormecidas no sofá, cada uma para o seu lado.

— Vamos, gente? Está na hora de jantar.

Saíram à rua com o dia claro, foram andando pela praia em passos trôpegos, amparados nas esposas, em demanda de um lugar onde pudessem comer. As esposas nada diziam.

— Tem um botequim que fica aberto a noite toda.

Foram ao tal botequim, encomendaram o que havia: filé com fritas. As esposas nada diziam.

O garçom é que estranhava a presença, naquela espelunca, de mulheres tão elegantes, como guardiãs de dois bêbados.

— Eu tomaria uma cervejinha — disse um deles.

Foram suas últimas palavras. Sentiu as pálpebras caírem sobre os olhos, a cabeça reclinar sobre o peito... Acordou com um tapalhão na nuca:

— Você não vai comer?

Abriu os olhos e viu a esposa, impassível, mão estendida, apontando o prato. À sua frente o amigo adormecido, de bruços na mesa, descansara o rosto sobre o próprio bife, como num macio travesseiro. As mulheres aguardavam, solenes e eretas como duas esfinges:

— Que foi que aconteceu?

— Nada — disse uma delas, finalmente, chamando o garçom e pagando a conta. — Ainda vai acontecer.

JIMMY JONES

ATÉ hoje, quando me lembro de Jimmy Jones sinto um aperto no coração. Desses remorsos que, se não chegam a doer como remorso, continuam a incomodar-nos a consciência para o resto da vida.

Encontrei-o pela primeira vez numa viagem de Miami para Nova Iorque. Era um preto de meia-idade, com aquela lividez americana de músico de jazz. Em verdade, contou-me logo ter sido saxofonista da orquestra de Chick Webb — portanto, devia ser bom — mas abandonara o instrumento depois de uma operação e agora era garçom de trem. Marcamos encontro na Broadway, e ele me levou a percorrer vários antros de jazz. Onde quer que entrássemos, os músicos vinham abraçá-lo, saudosos — era muito conhecido e ainda gozava de prestígio entre os companheiros. Cheguei a dançar com sua mulher, que nos acompanhava — uma negrinha gorda e simpática, que procurava na maior distinção esconder o pasmo ante um branco sem qualquer preconceito racial. Depois daquela primeira noite outros afazeres me distraíram e perdi Jimmy Jones de vista.

Vejo-me então, tempos mais tarde, às onze horas de uma noite escura, procurando certa rua na escuridão maior do Harlem. Interessado numa reportagem sobre o problema do negro nos Estados Unidos, lembrara-me de Jimmy Jones e lhe havia telefonado. Alegremente surpreendido, ele me convidara logo para ir à sua casa — cujo endereço, por mim anotado, eu não conseguia agora localizar.

Era uma época em que recentes linchamentos tornavam perigosa a incursão de um branco no bairro negro de Nova Iorque. Os ânimos ainda mais se exaltavam porque justamente naqueles dias seria disputado o campeonato mundial de boxe, cujo título pertencia a um pugilista negro. O policiamento fora redobrado e os jornais preveniam a todos que se abstivessem de qualquer provocação. Sozinho em meu carro, eu rodava a esmo pelo bairro negro, sem coragem de abordar as sombras esquivas que deslizavam pelos cantos. Busquei uma avenida mais movimentada e quando me dispus a interpelar um guarda, também negro, ele ordenou sumariamente que eu fosse andando, para não interromper o tráfego. Um casal, junto ao ponto de ônibus, não se dignou a dar-me a menor resposta. Um motorista no estacionamento de táxi, quando lhe mostrei o endereço, limitou-se a erguer os ombros e dizer que não sabia. Levantei os olhos para a placa na esquina, a menos de cinco metros: era justamente a rua que eu procurava.

Conferindo o número, dei com um prédio sinistro e de escadas de incêndio enferrujadas. Comecei a subir com cuidado a longa escada de madeira até o quarto andar. Não havia luz de espécie alguma. Ouvi passos de alguém e me encostei à parede. Um fósforo riscou o ar e pude ver um preto alto e magro, com um pequeno balde dependurado no braço.

— Boa noite — disse ele, de passagem.

— Boa noite — respondi, timidamente, e concluí ser essa a ética do lugar: ir cumprimentando todo mundo que encontrasse.

Toquei a campainha da porta que buscava e, para meu alívio, o próprio Jimmy Jones veio abrir, fazendo-me entrar depois de um abraço efusivo.

Era uma sala acanhada. com móveis pobres e um velho piano ao canto — mas tudo indicava que eu viera surpreender os moradores num dia de festa: sobre a mesa alguns pratos de salgadinhos, várias garrafas de coca-cola e uma de rum. A dona da casa me saudou alegremente, me apresentou ao resto da família, uma escada de meia dúzia de negrinhos simpáticos e desengonçados. Dois ou três casais já presentes se ergueram com toda distinção para receber-me e tornaram a acomodar-se, passando discretamente a ignorar-me. Ainda bem eu não me havia ajeitado e tinha também de erguer-me com os outros ante a chegada de novo casal de pretos. Logo em seguida chegou o que cruzara comigo na escada, trazendo o seu balde cheio de gelo. A conversa se generalizou, e vez por outra sobrava para mim uma pergunta de cortesia a que eu lutava por atender, tropeçando no inglês. A naturalidade me faltava e me sentia intruso, naquela reunião de amigos. A cada novo convidado que chegava, sentia ocultar-se na delicadeza do cumprimento uma pergunta de estranheza: o que é que está fazendo aqui esse branco? Não conseguia acompanhar o rumo do linguajar que trocavam e me via perdido quando procuravam envolver-me na conversa. A dona da casa sentou-se ao piano, e logo todos entoavam canções negras de motivo religioso, disciplinadas pela vocação musical num coro de grande beleza, e de uma espontaneidade destoada pela minha presença. Enquanto os filhos sucediam à mulher, revezando-se ao piano, e esta se ocupava em servir bebida aos convidados, Jimmy Jones se desdobrava, procurando pôr-me à vontade: pediu-me que falasse no Brasil, na nossa música — e eu sentia ao redor um interesse delicadamente contido que me dificultava as palavras. Ergui-me, decidido a levar comigo o mal-estar que estava provocando:

— Olha, eu vou embora: volto outra noite . . .

O dono da casa me olhou, desapontado.

— Vai embora? Mas por quê? Não está gostando?

Todos se ergueram, educadíssimos, sem entender o que se passava. E no silêncio que se fez eu me saí com o que no momento me pareceu a mais razoável das desculpas:

— Como lhe disse, eu estava interessado em colher uns dados sobre o problema racial nos Estados Unidos . . . Mas hoje você está aí com seus amigos, não quero incomodar. Volto outra hora.

Despedi-me de um por um, e todos me estenderam a mão em silêncio.

— Você volta — pediu ainda Jimmy Jones, conduzindo-me até a escada e dando-me um último abraço de súbita humildade.

Só quando me vi em casa é que caí em mim e pude medir em toda extensão a grosseria que acabava de cometer. A festa era para mim!

Não tive coragem de voltar. Telefonei um dia, ele estava de viagem . . . E nunca mais em minha vida tornei a ver Jimmy Jones.

PANORAMA
VISTO DA TORRE

QUEM vai a Bruxelas não pode deixar de ir a Gand. E quem vai a Gand não pode deixar de ir à Igreja de Saint Bavon, para ver o "Agneau Mistique" de Van Eyke, conforme recomenda o *Guide Bleu*. Descrever o que foi para mim a visão desta obra-prima da pintura flamenga passaria muito além de minha capacidade.

Com este humilde pensamento, ia saindo da Igreja ainda meio perplexo, quando uma velhinha me abordou, estendendo a mão. Cheguei a pensar que ela pedisse uma esmola, mas Otto, que logo se juntou a mim, desfez o equívoco:

— Ela está querendo que a gente suba à torre da Igreja.

Realmente, atrás da velha uma portinha dava acesso à escada circular.

— Para quê?

— Para uma vista da cidade — acudiu a velha, sorrindo como uma bruxa: — São apenas cinco minutos.

— Quantos degraus?

— Cinco minutos — a megera repetiu, meneando a cabeça.

— Estamos querendo saber quantos degraus — insistiu meu companheiro, mal-humorado.

— Os senhores vão num instante! Eu mesma subo quatro vezes por dia, não sinto nada. E na minha idade...

— Se ela não disser quantos degraus, eu não subo — adverti.

Voltamos a insistir e a bruxa acabou confessando que eram quatrocentos degraus.

— Quatrocentos degraus?!

— Essa velha está me tomando por imbecil — disse meu companheiro, irritado.

Não vamos subir. Vamos. Não vamos. Vista da cidade, não custa nada, mas você já pensou o que são quatrocentos degraus? A velha nos estendia os bilhetes:

— Cinco francos cada um.

Custava alguma coisa, pois: além do mais, teríamos de pagar para subir. Era muito degrau para tão pouca vista — eu pensava comigo, mas Otto, num impulso insensato, já comprava os bilhetes:

— Vamos subir, não é isso mesmo? Praticar um ascetismozinho de vez em quando não faz mal a ninguém.

E foi-se embarafustando pela portinha, escada acima. Não tive alternativa senão segui-lo:

— Estou com a impressão de que vamos nos arrepender amargamente.

— São Bavão que nos proteja — gritou ele lá na frente.

Não subíramos ainda cinqüenta dos estreitos e escuros degraus em espiral e já botávamos a alma pela boca:

103

— Você continua sozinho, eu fico por aqui mesmo! — adverti, para os passos já trôpegos que me antecediam.

— Faltam só trezentos e cinqüenta! — ouvi uma voz bafejada de cansaço a estimular-me. Agarrei-me como pude ao corrimão enferrujado e prossegui. Fosse tudo pelo amor de Deus. Em pouco encontrava meu desventurado amigo se arrastando como um lagarto, escada acima:

— Ai, que não posso mais, aquela velha desgraçada — bufava, a cada degrau vencido: — Meu coração vai estourar.

— Faltam só trezentos — articulei a custo, e fui passando. Logo era ele que me encontrava prostrado num desvão da torre cada vez mais estreita, como um morcego velho no seu nicho:

— Que é que há, velhinho? — vingou-se, passando por mim, curvado como o corcunda de Notre Dame: — Faltam só duzentos...

Chegamos afinal ao alto da torre, e éramos dois anciãos de oitenta anos de idade, nas garras de uma violenta crise de falta de ar — em lugar nenhum do mundo se respira ar mais puro do que no alto da torre da Igreja de Saint Bavon, em Gand.

— Subimos aqui em cima para ver o quê?

— O guia diz que tem outra igreja de torre ainda mais alta. Só que com elevador.

— Essa você podia ter me contado lá embaixo, não podia?

Estourávamos de irritação contra a velhinha, e Raskolnikoff seria um anjo de candura ante nosso impulso de assassiná-la com todos os requintes de crueldade, assim que chegássemos lá embaixo.

Se chegássemos.

Mas para baixo todos os santos ajudam: despencamos pela escada, depois de riscar nosso nome no cimento do parapeito com a chave do carro, para que ninguém jamais pudesse negar que lá tivéssemos subido. E, tínhamos certeza, éramos os primeiros a fazê-lo, depois dos construtores, no século XII: para mim, a bruaca que nos induzira em tentação ali estava, como num conto de Kafka, desde a Idade Média, exclusivamente para apanhar-nos.

Quando demos com ela novamente, finda a descida, mal podíamos conosco, de modo que não tivemos ocasião de beber-lhe o sangue, como era nosso intento — embora meu companheiro a distinguisse com um grosso palavrão, em sonoro e castiço português. Trôpegos como dois dromedários, fomos saindo e só então Otto descobriu que deixara lá em cima a chave do carro.

— E agora?

Agora nos tornaríamos cidadãos gandenses, ou gandinos, se fosse preciso, mas não havia força humana que nos fizesse voltar. Amaldiçoamos de novo a velhinha coroca que nos fizera de cretinos, a cidade, a Bélgica, a Europa inteira. Mas era preciso fazer alguma coisa!

— Procura bem — adverti, já disposto a deixá-lo ali e voltar de trem.

Poderia terminar o relato dizendo que acabamos tendo de subir à torre novamente, para buscar a chave — mas ninguém me acreditaria. Prefiro dizer que meu indignado companheiro procurou bem, como eu recomendara, e, depois de virar todos os bolsos pelo avesso, acabou encontrando a chave.

— São Bavão seja louvado! — exclamou.

ESPINHA DE PEIXE

DE REPENTE Dona Carolina deixou cair o garfo e soltou um grunhido. Todos se precipitaram para ela, abandonando seus lugares à mesa: a filha, o genro, os netos:

— Que foi, mamãe?

— Dona Carolina, a senhora está sentindo alguma coisa?

— Fala conosco, vovó.

A velha, porém, só fazia arranhar a garganta com sons estrangulados, a boca aberta, os olhos revirados para cima.

— Uma espinha — deixou escapar afinal, com esforço: — Estou com uma espinha do peixe atravessada aqui.

E apontava o gogó com o dedinho seco.

— Come miolo de pão.

— Respira fundo, vovó.

— Com licença — e o marido de uma das netas, que era médico recém-formado, abriu caminho:

— Deixa ver. Abre bem a boca, Dona Carolina.

Dona Carolina reclinou a cabeça para trás, abriu bem a boca, e a dentadura superior se despregou. Constrangido, o moço retirou-a com dedos delicados, deixou-a sorrindo sobre a toalha da mesa:

— Assim. Agora vira aqui para a luz. Não estou vendo nada... A espinha já saiu, não tem nada aí. A garganta ficou um pouco irritada, é por isso... Bebe um pouco d'água, Dona Carolina, que tudo já passou.

Todos respiraram aliviados, voltando aos seus lugares. Dona Carolina, porém, fuzilou o rapaz com um olhar que parecia dizer: "Passou uma ova!" e continuava a gemer. Como ninguém se dispusesse mais a socorrê-la, acabou se retirando para o quarto, depois de amaldiçoar toda a família. Uma das netas, solícita, foi levar-lhe a dentadura, esquecida sobre a mesa.

*

— Estou com uma espinha na garganta — queixava-se ela, a voz cada vez mais fraca.

— Já saiu, mamãe. É assim mesmo, a gente fica com impressão que ainda tem, deve ter ferido a garganta...

— Impressão nada! Ela está aqui dentro, me sufocando... Chame um médico para mim, minha filha.

Veio de novo o rapaz que era médico, mas a velha o rejeitou com um gesto:

— Esse não! Eu quero um médico de verdade!

A família, de novo reunida, se alvoroçava, e Dona Carolina, arquejante, dizendo que morria sufocada. Uma das filhas corria a buscar um copo d'água, outra abanava a velha com um jornal. O dono da casa foi bater à porta do vizinho de apartamento, Dr. Fontoura, que, pelo nome, devia ser médico:

— O senhor desculpe incomodar, mas minha sogra cismou, uma espinha de peixe, não tem mais nada, cismou que tem, porque tem...

Dr. Fontoura, que na realidade era dentista, acorreu com uns ferrinhos, uma pinça.

— Abre bem a boca, minha senhora — ordenou, gravemente, e contendo a língua da velha com o cabo de uma colher, meteu o nariz pela boca adentro: — Assim. Hum-hum... Não vejo nada. Alguém tem uma lanterna elétrica?

Um dos rapazes trouxe a lanterna elétrica e o dentista iluminou a goela de sua nova cliente, sob expectativa geral.

— É isso mesmo... Está um pouquinho irritada ali, perto da epiglote. Não tem mais nada, a espinha já saiu. O que ela está precisando, na minha opinião, é de uma dentadura nova.

A velha engasgou e, em represália, por pouco não lhe mordeu a mão. Todos respiravam, aliviados.

— Eu não dizia? — afirmava o dono da casa, conduzindo o vizinho até a porta, e protestava agradecimentos: — A velha está nervosa à toa, o senhor desculpe o incômodo...

Dona Carolina pôs-se a amaldiçoar toda a sua descendência, a voz cada vez mais rouca:

— Cambada de imprestáveis! Eu aqui morrendo engasgada e eles a dizerem que não tem mais nada!

Resolveram fazê-la tomar um calmante e dar o caso por encerrado.

Mas o caso não se encerrou. A velha não pregou olho durante a noite e passou todo o dia seguinte na cama, gemendo com um fio de voz:

— Ai, ai, ai, meu Santo Deus! Estou morrendo e ninguém liga!

A filha torcia as mãos, exasperada:

— Não quis almoçar, agora não quer jantar. Assim acaba morrendo mesmo.

— Minha sogra é uma histérica — explicava o dono da casa a um velho amigo que viera visitá-lo ao terceiro dia. — Está assim desde quarta-feira, já nem fala mais com ninguém...

O velho amigo resolveu espiá-la de perto. Assim que o viu, Dona Carolina agarrou-lhe a mão, soprando-lhe no rosto uma voz roufenha, quase inaudível, mais para lá do que para cá:

— Pelo amor de Deus, me salve! Você é o único que ainda acredita em mim.

Impressionado, o velho amigo da casa resolveu levá-la consigo até o pronto- socorro:

— Quanto mais não seja, terá efeito psicológico — explicou aos demais.

Embrulharam a velha num sobretudo, e lá se foi ela, de carro, para o pronto-socorro. Foi só chegar e a estenderam numa mesa, anestesiaram-na, e o médico de plantão, com um pinça, retirou de sua garganta — não uma espinha, mas um osso de peixe, uma imensa vértebra cheia de espinhas para todo lado, como um ouriço.

— Estava morrendo sufocada — advertiu. — Não passaria desta noite.

Hoje Dona Carolina, quando quer fazer o resto
da família ouvir sua opinião sobre qualquer assunto,
exibe antes sua famosa vértebra de peixe, que car-
rega consigo, como um troféu.

PRIMEIRA COMUNHÃO

ELE estava nervoso, muito empertigado no seu terninho branco:

— Se colar no céu da boca o que é que eu faço?

— Tira com a língua — recomendei.

— Com o dedo não pode não?

— Não pode não.

Ao entrarmos no pátio da igreja, esqueceu suas preocupações e saiu correndo para juntar-se aos outros. Sob o olhar embevecido dos pais a meninada se estranhava: tolhida pelo cuidado com a roupa toda branca e muito armada, e a fita no braço, e a expectativa da cerimônia, não se expandia livremente como no recreio do colégio. Ainda assim trançavam aqui e ali entre os adultos, brincando e rindo, criticando-se mutuamente:

— Você veio de luva? A professora disse que não precisava.

— Uê, você está de calça comprida!

— O padre disse que podia.

— Meu laço é mais bonito que o seu.

— O meu tem um desenhinho, olha aí.

Em pouco surgiu o vigário e os pôs em fila. Marcharam para o interior da igreja. Solenizados e hirtos, nós, os cavalões, também elegantemente ajaezados, nos postamos ao redor, prestando atenção na missa, como se nada estivesse acontecendo. Mas andava no ar o inquietante silêncio de algo precioso que estava para nos acontecer e que poderia escapar-nos, como uma palavra apenas sussurrada e de novo perdida. E a todo instante olhávamos disfarçados os nossos filhos, com a benevolente compreensão de quem lembra já ter vivido momento semelhante e teme não merecer sua renovação ao menos na lembrança. Eu, evidentemente, só tinha olhos para um menino no segundo banco, repetindo com os outros o ritual que o padre lhe ensinara, preparado para a sua primeira grande aventura.

*

De súbito um imprevisto ameaçou perturbar a cerimônia: uma voz de homem, alta e mal articulada, irrompeu lá detrás e o bêbado veio avançando, vacilante, até se deixar cair sentado no banco a meu lado. Era um preto de camiseta de meia, sem mangas, provavelmente operário de alguma construção vizinha, e àquela hora da manhã já (ou ainda) estava no maior pileque deste mundo. Resmungou qualquer coisa e correu os olhos baços ao redor, sem ver nada. Várias cabeças se voltavam, apreensivas, como a pedir que eu fizesse alguma coisa — e eu não sabia o que diabo se deve fazer numa circunstância dessas.

— Psiu, companheiro, fique quietinho aí — sussurrei-lhe, temendo que ele reagisse, para agravar a situação. Limitou-se, porém, a olhar-me com desprezo e engrolar duas ou três palavras desastrosamente gritadas. Depois se pôs a falar em voz alta:

— Sou católico apostólico romano. Sou muito amigo de Nosso Senhor Jesus Cristo.

O vigário deixou os meninos e veio de lá passar-lhe um pito, mas de nada adiantou: em pouco ele recomeçava a falar. Até o celebrante, em meio à Missa, parecia perceber que algo de anormal acontecia.

— Vamos até ali fora — saltou de repente uma voz, e o preto foi empolgado pelo braço, carregado para fora como uma criança. Olhei com admiração o autor da façanha, que já voltava, livre do importuno: era um dos pais, o mais corpulento, cuja autoridade se fizera exercer de maneira tão categórica, que até a mim intimidou, como se eu fosse também responsável pela perturbação da ordem. E a ordem voltou a reinar dentro do templo.

— Eu não sabia que na igreja também tinha leão-de-chácara — gracejou ainda uma senhora a meu lado.

O incidente me distraiu, fiquei pensando no preto atirado na rua. Ele estava inconveniente, não tinha dúvida, mas podia ser que fosse mesmo amigo de Nosso Senhor Jesus Cristo, e neste caso foi bom que eu não me tivesse metido.

*

Chegou enfim o momento. Um a um os meninos, cuidadosamente ensaiados, deixaram seus lugares e depois foram voltando sérios e contritos. Por um instante me deixo levar pela emoção, o coração se enternece e a lembrança procura recolher, sófrega, o que possa guardar desse dia e que durante algum tempo me sustente em esperança de renovar-me. Há por que esperar: aquele menino ali no segundo banco, olhos baixos e de mãos postas, deve ter no momento mais prestígio que ninguém lá em cima e talvez se lembre de rezar pelo pai, que anda precisando muito.

Depois houve um lanche no pátio, com café e farta distribuição de sanduíches.

INICIADA A PELEJA

Justamente na hora do primeiro jogo de nosso selecionado na Europa, realizava-se uma reunião da Diretoria do Banco, a que ele não poderia deixar de comparecer. Não teve dúvidas: arranjou emprestado um radiozinho transistor, com dispositivo de se adaptar ao ouvido para audições individuais, meteu-o no bolso e bateu-se para a reunião.

— Que é isto? — estranhou um dos diretores:
— Você ficou surdo?

Acomodou-se junto à mesa: a reunião já havia começado e o jogo também. Didi passa para Mazzola, este para Pepe, Pepe novamente para Mazzola. Proposição de um dos diretores sobre o incremento do crédito agrícola. Escapada de Garrincha pela direita. Estamos certos de que nossos colegas aprovarão medidas que permitam a imediata normalização das operações.

— Aprovado.
— Aprovado.
— Impedimento!

— Como?

— Nada não. Aprovado.

A pelota é devolvida à circulação: os produtores não poderão obter senão um empréstimo equivalente ao valor de sua remissão que será adicionado ao montante da dívida. Falta perigosa a ser cobrada nos limites da grande área. O débito remanescente e oriundo do financiamento previsto na lei representa um perigo para a cidadela brasileira, defendida por Gilmar. A dívida será computada no ano imediatamente posterior à safra liberada. Cobrada a falta. Defesa es-pe-ta-cu-lar de Gilmar!

— A menos que a garantia oferecida, nos termos da Portaria número quatro...

— Centra logo, homem de Deus!

Didi recebe de Belini e organiza novo ataque. Os lavradores beneficiados, quaisquer que sejam os termos da dívida assumida...

— É agora! Vai chutar.

— Perdão?

— Perdão o quê?

— Não entendi o seu aparte.

— Ah, desculpe... Pode prosseguir: foi fora. Os termos da dívida assumida...

— O senhor está me ouvindo bem aí?

— Perfeitamente. Por quê?

— Esse seu aparelhinho no ouvido... Muito bem: prossigamos.

A reunião prosseguiu sem novidades até que Garrincha se apoderasse novamente da bola. Mazzola prepara-se para chutar... Pânico na defesa italiana.

— Gol do Brasil! — berrou ele, incontido.

Os outros diretores se voltaram, estupefatos. Tornou a desculpar-se como pôde, acomodou-se no-

vamente na poltrona e continuou a participar da
reunião, que prosseguia agora sob estranheza geral:
os lavradores, em face dos dispositivos que regulam
o débito consignado no exercício anterior... Ele foi-
se erguendo lentamente da poltrona, braço estendido,
fisionomia aparvalhada.

— Que está acontecendo, afinal?

— Esperem, esperem — pediu, olhos esbugalhados, imóvel como um perdigueiro ao amarrar a
caça, e contendo com sua postura de estátua a curiosidade dos demais: Pepe continua avançando, dribla
os dois zagueiros, invade a área, tira o goleiro da jogada...

— Mais um! — saltou ele na cadeira. — Agora
não tem mais perigo: podemos prosseguir.

Os comentários corriam em torno à mesa: que
diabo de rádio é esse? Deixa ver, que coisa interessante... Tão pequenino. Eles já não sabem mais o
que inventar. Liga aí para a gente ver. Quanto está?
Gol de quem?

— De Pepe. Espetacular.

— Mais para cá, que eu também quero ouvir.

— Põe no meio da mesa logo de uma vez.

Pôs o radiozinho no meio da mesa, e a Diretoria, por decisão unânime, em face de tão grave con-
juntura para os destinos de nossa nacionalidade, con-
cedeu-lhe primazia entre os assuntos em pauta. Mazzola era um gigante dentro do campo. Didi, um verdadeiro assombro.

— Olha só esse passe.

— O homem está em todas.

Ao fim, os diretores, esquecidos do que dispõe a
Lei n.º 2.697, sobre a concessão de crédito agrícola
em face da safra liberada no ano anterior, congra-

tulavam-se, entusiasmados: havíamos vencido por quatro a zero.

— Eu sempre disse que o problema de Feola estaria no ataque.

— Gilmar foi o maior, senhores.

— Você viu aquela defesa?

— A leitura do relatório, em face das circunstâncias, a meu ver deverá ficar para a próxima reunião.

Aprovada a proposição, deram por encerradas as atividades daquele dia e foram, incorporados, tomar um uísque para celebrar.

A VITÓRIA DA INFÂNCIA

NAQUELA manhã íamos para a cidade preocupados, cheios de compromissos e, ao contrário do que sempre acontece, não pretendíamos perder tempo pelo caminho. Meu amigo tinha de passar na Faculdade de Filosofia para transmitir um recado e, como eu dispusesse de meia hora, resolvi acompanhá-lo. Realizava-se no momento uma conferência, e a pessoa que meu amigo procurava estava lá dentro, sentada ao lado do conferencista. Sugeri-lhe que se aproveitasse do pasmo das alunas ao ouvir o homem exclamar, dedo em riste: "São Tomás de Aquino chegou a ser excomungado!" e entrasse na sala para transmitir o seu recado. Acabei deixando-o indeciso junto à porta e fui para o pátio.

Dois meninos, sujos e descalços, jogavam bolinha de gude: um mais alto, com um sorriso a que faltavam dois dentes, e outro pequenino e mirrado, cabeça raspada e olhos postos na bola, numa obstinação de quem há de ganhar ao menos uma partida. Meu amigo, já livre de sua incumbência, se aproximou e ficamos a observar o jogo. Notamos desde logo a superioridade do jogador mais velho, de técnica apurada, maior precisão nos lances iniciais, grande senso de oportunidade nas cricadas e muita prudência no evitar as armadilhas do papão ao se aproximar da birosca. Em dado momento uma pergunta nossa sobre a variante técnica de palmo e meio em vez de um palmo, usada pelo menorzinho, atraiu para nós a atenção dos contendores.

— Dou de lambujem — explicou o mais velho.

— Ele está perdendo e disse que eu levo vantagem porque a mão dele é miudinha. Então eu dou pra ele mão e meia, mas só no batizado. Nem assim ele ganha.

Botou a patinha na terra, marcou meticulosamente a distância e cricou o outro; depois mudou de ângulo por causa de um tufo de grama, papou a primeira birosca, tornou a cricar. Papou a segunda, de uma jogada direta foi espetacularmente à terceira e, já papão, deu com desprezo chance ao outro de se aproximar. O outro caiu na armadilha: em vez de tentar o batizado diretamente, quis tecar, e acabou morrendo uma vez, morrendo a segunda, para, vítima de cricada magistral, morrer definitivamente nas garras do adversário. Sem ser batizado.

— Querem uma dupla? — convidou-nos o vencedor, irônico, com ostensiva superioridade a tripudiar sobre a derrota do outro, que nos olhava aparvalhado. Aquilo feriu nossos brios. Aceitamos, mas sob condições: só seria permitido o galeio de recuo, quem morresse na birosca seria eliminado, não concedíamos mão e meia nem antes nem depois do batizado. Eles concordaram, depois de breve confabulação, e o maior falou para o menor:

— Dá as riscadinhas pra eles, Zé.

Zé meteu a mão no bolsinho da calça e tirou um punhado de bolas, de mistura com um canivetinho enferrujado, uma bala de chocolate já meio derretida e um toco de lápis vermelho. Separou cuidadosamente as riscadinhas e nos entregou.

Foi dada a saída e desde logo se evidenciou a superioridade deles, inclusive o pequenino, que tacitamente havíamos considerado já no papo, ao aceitar o desafio. Meu amigo foi infeliz na saída, por causa de uma pedrinha que desviou o curso da bola e quase morreu na segunda birosca, praticamente antes de começar. O que seria a suprema das vergonhas. Mas uma infelicidade de seu adversário, perdendo o batizado por estupidez que ele mesmo se encarregou de amaldiçoar com um palavrão, equilibrou o jogo, mandando-me para a birosca inesperadamente, em abençoada carambola.

Foi a vez do pequenino que, ainda pagão, deu de passagem uma fabulosa cricada no meu parceiro, atirando-lhe a bola à distância. E ainda foi à birosca. Soltei uma exclamação de entusiasmo, mas meu amigo protestou:

— Não vale! Ele ainda era pagão! Não vale tecar sem cair antes na birosca.

Ao que o menino mais velho redargüiu alegando, com perdão da palavra, que não valia cagar regra.

— Não fala bobagem não, menino. A regra é essa mesmo.

Descobrimos então, para nosso pasmo, que eles chamavam a birosca de "búlica", ou "búrica" — ou outro nome assim de nobre origem etimológica, influência talvez da proximidade da Faculdade de Filosofia. A palavra *birosca* lhes despertava mesmo sorrisos maliciosos, dando-nos a certeza de que se tratava de pornografia nova, escapada ao nosso vocabulário infantil. Havia ainda outras variantes na terminologia deles, que já não era a mesma de nosso tempo: assim, a "cricada" era para nós apenas a tecada final, que assegurava a vitória, e não todas elas, como eles vinham usando. (Entretanto, agora verifico no dicionário que nós é que usávamos o termo lídimo: "tecar" ele registra e "cricar" não registra.)

— Então começa de novo.

Recomeçou o jogo. Agora, depois do incidente, era a nossa honra que jogávamos. De repente vi meu amigo se transfigurar, como se a própria infância nascesse dos olhos cansados, dando-lhes aquele brilho de que só são capazes as alegrias puras. E dando-lhe jogadas magistrais. Em pouco tempo um dos adversários (o pequenino) liquidou-me, depois de armar-me cilada, o safadinho, fingindo errar a pontaria duas vezes, e morri pagão. Mas meu parceiro, papão de primeira, matou-o a mais de quatro metros, numa esplêndida jogada de galeio (com recuo). Não podia conter seu entusiasmo:

— Sabe? Eu ainda sou dos bons!

Por pouco não põe tudo a perder, numa jogada imprudente que o deixou perto do outro. Agora se perseguiam ao longo do jardim e o outro, já nervoso, errou e tornou a errar. Então meu amigo liquidou-o sem dó nem piedade numa cricada definitiva, que significava mais uma bola conquistada para a coleção. Ergueu-se e se tornando adulto com um pigarro, sacudiu a poeira das mãos. Os meninos o olhavam, admirados; devolveu-lhes as bolas, num belo gesto de desprendimento, não queria ficar com elas. E puxou-me pelo braço, modestamente:

— Vamos, não é? Está ficando um pouco tarde.

Perdêramos naquilo toda a manhã e os compromissos atrasados se acumulavam. Fiz-lhe ver minha apreensão, enquanto saíamos apressadamente, mas ele me assegurou que não tinha importância, o dia estava ganho, nossa vitória tinha sido insofismável.

O CORPO DA GUARDA

ELÓI era o comandante da guarda, Helvécio era o cabo da guarda, Eusébio era não sei o que da guarda e eu o soldado da guarda. Nossa missão: montar guarda. Zelar pelo bem-estar dos cavalos, forragem a hora certa, e não deixar que os soldados de verdade dessem alguma alteração. Elói me entregou um fuzil e me pôs de sentinela no portão:

— Você sabe as instruções?

— Não. Quais são?

Ele também não sabia. Fez um gesto de impaciência, disse que eu tinha de respeitá-lo porque ele era o comandante.

— Por favor, não avacalhe.

Fiquei passeando para lá e para cá, fuzil no ombro, ao som de um samba que tocava o rádio portátil dependurado na minha cartucheira. Se alguém se aproximava eu desligava o rádio, empunhava o fuzil e gritava: "Quem vem lá?" — como via fazerem em filmes de legionários. Uma voz respondia: "O cabo Furriel" — e o preto ia entrando com um sorriso branco na escuridão. Sempre pensei que ele se chamasse Furriel e só quando surgiu outro cabo com o mesmo nome, o que achei muita coincidência, vim a saber que Furriel era um posto militar.

*

Às onze horas começou a chover. Acabáramos de dar ração aos animais e nos recolhemos da chuva. Helvécio queria dar seu turno de sentinela debaixo de um guarda-chuva, no que foi obstado pelo nosso comandante, temendo uma incerta do outro comandante, o verdadeiro. Eusébio não queria nada senão ouvir música e tantas fez que acabou enguiçando o meu radiozinho. À meia-noite começamos a contemplar com olho comprido uma cama vazia, a única — o resto da soldadesca ressonava tranqüila, confiante na nossa vigília, esquecida dos percevejos. O comandante protestou:

— Nada disso, pessoal. Estamos aqui para montar guarda. Imagina se logo esta noite estoura uma revolução!

E nos fazia apelos dramáticos:

— Esta é a minha última oportunidade, gente. Se der alguma alteração, nunca mais termino meu curso.

À uma hora da madrugada, porém, começou a ceder:

— Podemos nos revezar: um de nós fica de guarda. Vou dar um giro por aí para ver se está tudo em paz. Depois tiramos sorte.

Mal saíra em direção `as baias, nos precipitamos para a cama — conquistada por quem chegou primeiro. Nós outros nos arranjamos pelo chão, em co-

125

bertores e mantas de cavalo. Eusébio quis se cobrir com a bandeira nacional, não deixamos:

— Isso também não.

Quando o comandante voltou do curral, já nos encontrou dormindo. Andou um pouco para lá e para cá, resmungando, quis exigir que lhe cedessem a cama — afinal, ele era o comandante — e acabou se ajeitando num canto, depois de acender todas as luzes do quartel, por precaução:

— Tudo em paz — concluiu, num bocejo. E adormeceu.

*

Tudo em paz. Dorme o corpo da guarda, dormem os soldados, dormem os cavalos, todos dormem. Alguma sombra furtiva desliza pelos cantos? Os animais, um após outro, afundam os cascos no barro macio, ante a porteira do curral? Que foi que houve? Que aconteceu? Nada aconteceu, estamos dormindo, estamos sonhando com animais, e soldados, e sombras. Até os percevejos parecem estar dormindo.

Às quatro horas da madrugada sou acordado violentamente pela campainha do telefone. De um salto corro a atender — fiel às minhas humildes atribuições de soldado raso:

— Quem?

Fico um instante na dúvida, acabo estourando:

— Ora, vá...

Alguns colegas nossos tinham a cretina propensão a passar trotes, de algum bar da cidade, nos infelizes que eram designados para guarda ao quartel. Chamei o engraçado disso e daquilo, usei alguns palavrões, os mais conhecidos, prometi vingança — mas ele só fazia me perguntar se eu sabia com quem estava falando. De súbito caí em mim: eu sabia! Era mesmo a voz do capitão comandante. Não tinha outro recurso senão me valer da célebre anedota:

— E o senhor sabe com quem está falando?

Como ele dissesse que não, desliguei o telefone, suspirando aliviado.

Quando telefonaram de novo, fui acordar o nosso comandante, que dormia como um anjo:

— Elói, o capitão está no telefone. Pelo amor de Deus, não diga que fui eu.

Elói correu a atender, pálido e gaguejante:

— Tudo sem alteração, meu capitão! Tudo sem alteração, meu capitão!

Não sabia dizer outra coisa, e repetiu várias vezes a frase, mas teve de render-se à evidência de que alguma alteração havia, quando o capitão berrou-lhe ao ouvido que um dos nossos soldados estava no pronto-socorro, com a cabeça quebrada, vítima de uma queda de cavalo.

— Tem cavalo solto por toda a cidade!

— Deve ser engano, meu capitão! Deve ser engano, meu capitão!

— Vou para aí imediatamente — e o comandante desligou.

Em pânico, o comandante improvisado acordou todo o pessoal e o pôs em fila: era verdade, faltava um praça.

— Todo mundo enquadrado! O comandante vem aí.

E os cavalos? Estavam estranhamente serenos aquela noite: não se escoiceavam, não relinchavam, não davam sinal de vida. Corremos ao pasto:

— E agora, como vai ser?

Todos os cavalos, sem exceção, tinham fugido — e eram mais de trinta. O soldado, completamente bêbado, saíra montado num deles e deixara a porteira aberta. Em pouco começaram os telefonemas: de um curral da Prefeitura, onde se recolhiam animais encontrados na via pública, avisaram que três dos nossos cavalos lá foram ter — pediam que fôssemos buscar. Do pronto-socorro chamavam dizendo que fôssemos assistir o soldado fujão. Da polícia avisaram que havia uns cavalos soltos em plena Avenida Afonso Pena, em frente à igreja de São José — por acaso seriam nossos? Desesperado, o Comandante Elói já dizia que não, absolutamente, não sabia de nenhum cavalo. Houve quem telefonasse dizendo que vira alguns cavalos trotando pela estrada da Pampulha. A nossa impressão era de que a cavalhada se espalhara por todo o Estado de Minas Gerais.

*

Logo o comandante irrompia quartel adentro — o corpo da guarda veio se apresentar, soleníssimo, batendo continência. Elói teve o cinismo de dizer, seguindo as instruções:

— Aluno Elói, comandante do Corpo da Guarda. Tudo sem alteração.

Soube imediatamente que iria haver alteração no dia seguinte:

— O senhor será expulso! Não conhece o regulamento? Onde está o Risque?

— Quem? O Risque?

O Risque — R.I.S.G.U.E. — era o livro de instruções.

— Estamos perdidos. Vamos ser expulsos, na certa.

Mas no dia seguinte, quando chegou o momento de sermos expulsos, o capitão não compareceu: sofrera um enfarte do miocárdio. E a missão de recolher os cavalos coube ao novo corpo da guarda, que era de recrutas da artilharia.

MACACOS ME MORDAM

MORADOR de uma cidade do interior de Minas me deu conhecimento do fato: diz ele que há tempos um cientista local passou telegrama para outro cientista, amigo seu, residente em Manaus:

"Obséquio providenciar remessa 1 ou 2 macacos".

Necessitava ele de fazer algumas inoculações em macaco, animal difícil de ser encontrado na localidade. Um belo dia, já esquecido da encomenda, recebeu resposta:

"Providenciada remessa 600 restante seguirá oportunamente".

Não entendeu bem: o amigo lhe arranjara apenas um macaco, por seiscentos cruzeiros? Ficou aguardando, e só foi entender quando o chefe da estação veio comunicar-lhe:

— Professor, chegou sua encomenda. Aqui está o conhecimento para o senhor assinar. Foi preciso trem especial.

E acrescentou:

— É macaco que não acaba mais!

Ficou aterrado: o telégrafo errara ao transmitir "1 ou 2 macacos", transmitira "1.002 macacos"! E na estação, para começar, nada menos que 600 macacos engaiolados aguardavam desembaraço. Telegrafou imediatamente ao amigo:

"Pelo amor Santa Maria Virgem suspenda remessa restante".

Ia para a estação, mas a população local, surpreendida pelo acontecimento, já se concentrava ali, curiosa, entusiasmada, apreensiva:

— O que será que o professor pretende com tanto macaco?

E a macacada, impaciente e faminta, aguardava destino, empilhada em gaiolas na plataforma da estação, divertindo a todos com suas macaquices. O professor não teve coragem de aproximar-se: fugiu correndo, foi se esconder no fundo de sua casa. À noite, porém, o agente da estação veio desentocá-lo:

— Professor, pelo amor de Deus vem dar um jeito naquilo.

O professor pediu tempo para pensar. O homem coçava a cabeça, perplexo:

— Professor, nós todos temos muita estima e muito respeito pelo senhor, mas tenha paciência: se o senhor não der um jeito eu vou mandar trazer a macacada para sua casa.

— Para minha casa? Você está maluco?

O impasse prolongou-se ao longo de todo o dia seguinte. Na cidade não se comentava outra coisa, e os ditos espirituosos circulavam:

— Macacos me mordam!

— Macaco, olha o teu rabo.

À noite, como o professor não se mexesse, o chefe da estação convocou as pessoas gradas do lugar: o prefeito, o delegado, o juiz.

— Mandar de volta por conta da Prefeitura?

— A Prefeitura não tem dinheiro para gastar com macacos.

— O professor muito menos.

— Já estão famintos, não sei o que fazer.

— Matar? Mas isso seria uma carnificina!

— Nada disso — ponderou o delegado: — Dizem que macaco guisado é um bom prato...

*

Ao fim do segundo dia, o agente da estação, por conta própria, não tendo outra alternativa, apelou para o último recurso — o trágico, o espantoso recurso da pátria em perigo: soltar os macacos. E como os habitantes de Leide durante o cerco espanhol, soltando os diques do Mar do Norte para salvar a honra da Holanda, mandou soltar os macacos. E os macacos foram soltos! E o Mar do Norte, alegre e sinistro, saltou para a terra com a braveza dos touros que saltam para a arena quando se lhes abre o curral — ou como macacos saltam para a cidade quando se lhes abre a gaiola. Porque a macacada, alegre e sinistra, imediatamente invadiu a cidade em pânico. Naquela noite ninguém teve sossego. Quando a mocinha distraída se despia para dormir, um macaco estendeu o braço da janela e arrebatou-lhe a camisola. No botequim, os fregueses da cerveja habitual deram com seu lugar ocupado por macacos. A bilheteira do cinema, horrorrizada, desmaiara, ante o braço cabeludo que se estendeu através das grades para adquirir uma entrada.

A partida de sinuca foi interrompida porque de súbito despregou-se do teto ao pano verde um macaco e fugiu com a bola sete. Ai de quem descascasse preguiçosamente uma banana! Antes de levá-la à boca um braço de macaco saído não se sabia de onde a surrupiava. No barbeiro, houve um momento em que não restava uma só cadeira vaga: todas ocupadas com macacos. E houve também o célebre macaco em casa de louças, nem um só pires restou intacto. A noite passou assim, em polvorosa. Caçadores improvisados se dispuseram a acabar com a praga — e mais de um esquivo notívago correu risco de levar um tiro nas suas esquivanças, confundido com macaco dentro da noite.

*

No dia seguinte a situação perdurava: não houve aula na escola pública, porque os macacos foram os primeiros a chegar. O sino da igreja badalava freneticamente desde cedo, apinhado de macacos, ainda que o vigário houvesse por bem suspender a missa naquela manhã, porque havia macaco escondido até na sacristia.

Depois, com o correr dos dias e dos macacos, eles foram escasseando. Alguns morreram de fome ou caçados implacavelmente. Outros fugiram para a floresta, outros acabaram mesmo comidos ao jantar, guisados como sugerira o delegado, nas mesas mais pobres. Um ou outro surgia ainda de vez em quando num telhado, esquálido, assustado, com bandeirinha branca pedindo paz à molecada que o perseguia com pedras. Durante muito tempo, porém, sua presença perturbadora pairou no ar da cidade. O professor não chegou a servir-se de nenhum para suas experiências.

Caíra doente, nunca mais pusera os pés na rua, embora durante algum tempo muitos insistissem em visitá-lo pela janela.

Vai um dia, a cidade já em paz, o professor recebe outro telegrama de seu amigo em Manaus: *"Seguiu resto encomenda".*

Não teve dúvidas: assim mesmo doente, saiu de casa imediatamente, direto para a estação, abandonou a cidade para sempre, e nunca mais se ouviu falar nele.

PRISÃO EM FLAGRANTE

CONFESSO que não resisto a um ajuntamento. Vou chegando como quem não quer nada, pergunto ao circunstante mais bem encarado o que foi que houve, se não há perigo de prenderem a gente, nem de tiros ou correrias, se houve mortos, se há sangue à vista... Procuro, na ponta dos pés, enxergar alguma coisa por cima das cabeças, ajeito-me discretamente e me disponho a ficar espiando também. Se vislumbro, todavia, a luz de uma vela entre as pernas dos que me estão à frente, vou tratando de dar o fora. Nunca tive forças para olhar de perto o rosto do infeliz, imediatamente pálido e crispado no ricto definitivo.

Camelôs, propagandistas, músicos de rua e comedores de vidro sempre me detiveram os passos. Limito-me, evidentemente, a ficar olhando com ar superior e cético, para afinal afastar-me com um sorriso de enfado, se alguém me puxa dizendo "vamos embora". Mas bem que no íntimo gostaria de ficar até o fim da mágica.

Ou até que chegue a radiopatrulha. Porque às vezes se trata de uma prisão em flagrante. Neste caso, minha tendência é sempre a de assumir apenas interiormente a defesa do mais fraco — pois a polícia é sempre o mais forte. Se as circunstâncias o permitirem sou capaz de meter o bedelho, puxar uma conversinha e, farejando simpatia, enunciar mesmo a minha modesta, porém sincera opinião. Mas se as coisas esquentam, nada me credencia a perguntar se eles sabem com quem estão falando — por isso em geral sou mal sucedido, e antes que as coisas esquentem enfio a viola no saco e vou saindo de fininho para cuidar de minha vida.

Não foi o que aconteceu outro dia, ali perto do Jóquei Clube. Eram onze e meia da noite quando eu ia passando e vi o ajuntamento. Depois de verificar que outros carros também já haviam parado, detive o meu a precavida distância e saltei. Foi no bater da porta e no meu jeito meio apressado de sair que a estranha situação se formou. Os olhos de todos os circunstantes se voltaram para mim — e eram já uma pequena multidão — os mais próximos instintivamente se afastando para que eu passasse. Fui direto até o centro da roda que se abrira para engolir-me, levado pelo ímpeto de curiosidade que me fizera parar, e me vi diante de um preto contido por dois guardas, que me olhavam com respeito. Ao redor se fez um silêncio submisso.

— Que foi que houve? — perguntei a um deles, tentando um ar displicente.

Ora, se já não sou nenhuma criança, pelo menos reconheço humildemente que minha aparência não é de molde a se confundir com a de nenhuma respeitável autoridade, da categoria de um ministro ou general. Na ordem das coisas, eu passaria, quando muito, por um modesto capitão. Pois foi como general que me tomaram. O guarda bateu continência e só faltava me chamar de Vossa Excelência ao explicar-me que o "indivíduo fora preso ao sair de um matinho em atitude suspeita". E que não tinha documento, suas explicações não satisfaziam. O preto pôs-se logo a dizer-me, choroso, que em matéria de satisfazer, só explicava a necessidade que o levara ao tal matinho. "Não tive nem tempo de abotoar minha roupa", lamuriou-se. Depois de ouvi-lo atentamente, voltei-me para os guardas: "É verdade?", perguntei apenas, e então já me sentia investido da autoridade que eles próprios me conferiam, e que o silêncio ao redor só fazia sacramentar. Os guardas disseram que não: havia dois outros com ele, que fugiram, um chegou mesmo a atirar uma arma ali dentro do bueiro. "Doutor, isto é elemento conhecido, tem havido muita queixa de assalto por aqui ultimamente..." Fiz um gesto de quem dizia: isso mesmo, eu compreendo, cumpram com seu dever. Não acreditava a essa altura que minha autoridade fosse bastante para soltar o preto. "Podem deixar que ele arrume a roupa", falei, e tive a surpresa de me ver prontamente obedecido. Esperava que ele se aproveitasse para fugir quando o largassem, mas não: ficou me olhando parado enquanto se recompunha.

Continuei ali, sem saber mais o que fazer. Os guardas e os circunstantes aguardavam de mim uma atitude — agora, qualquer que ela fosse, minhas explicações é que acabariam não satisfazendo. É verdade que eu não declinara nenhuma qualidade senão a de enxerido, mas de mim dependia que soltassem o homem, como no íntimo eu desejava; e acabariam me levando preso em seu lugar. Já me sentia sem nenhuma autoridade, ante a expectativa geral. Não saberia mais tirar partido do equívoco.

— Por que você tentou fugir? — perguntei ao preso, para ganhar tempo.

— Porque eles queriam me prender — respondeu ele, e sua lógica era irrefutável.

— Eles estão cumprindo seu dever, o que é que você queria? Para eles você é suspeito. Não sabe explicar direito o que estava fazendo. Quem eram os outros?

— Não sei de outros não. Já disse o que eu tinha ido fazer...

— Você não tem documentos, não é isso mesmo?

E como ele baixasse a cabeça, dizendo que não:

— Pois então? Eles têm que investigar, meu velho. Não bota banca não, que é pior. Levam você, se não houver nada tornam a soltar, o que é que há?

Silêncio de aprovação. Estava restaurada a ordem que o pobre-diabo violara ao sair do matinho. A sociedade recebia a satisfação devida. Um dos guardas chegou a murmurar: "é isso mesmo..." Voltei-me para eles:

— É isso mesmo — repeti.

E já me justificando aos olhos dos outros. aos meus olhos — aos olhos de Deus:

— Não há outro jeito...

Afastei-me em passos firmes, e só então verifiquei que vinte anos haviam passado. Eu que saltara do carro ainda moço, inocente e destemido, agora regressava um velho cauteloso e experiente. E derrotado

O EMPREGADO DO CORONEL

O EMPREGADO do coronel veio avisar-lhe que o jantar estava na mesa. Juntou os calcanhares com energia, bateu uma continência e disse:

— Marechal, pronta a gororoba!

O marechal, isto é, o coronel, ergueu os olhos assombrado e não disse palavra. Encaminhou-se para a mesa, pensativo, e durante o jantar teve oportunidade de sussurrar para a mulher:

— Acho que o José não está regulando bem.

Em verdade o José, José dos Santos, sargento reformado e fidelíssimo fâmulo do coronel havia mais de quinze anos, estava completamente maluco. Naquela mesma noite, lá de seu quarto, em cima da garagem, rompeu a comandar ordens ao seu pelotão:

— Pelotão, sentido! Avançar! Fogo!

E abria fogo com sua metralhadora imaginária, da janela, sobre o galinheiro do vizinho, enquanto as galinhas dormitavam no poleiro, não querendo nada com a guerra. O coronel saltou da cama assustado, telefonou para um médico amigo seu. Naquela mesma madrugada recolheram o ex-sargento a um hospício.

— Por causa de um soldado não acaba a guerra — dizia ele, penetrando impávido os portões de seu novo campo de batalha. Ao despedir-se do patrão, bateu continência solene e disse:

— Não abandone seu mais antigo e fiel servidor, marechal.

O coronel ficou comovido, resolveu amparar o homem em tudo que fosse possível. Afinal de contas, era mesmo o seu mais antigo e fiel servidor. Recomendou-o ao diretor do hospício e foi-se embora, pensando onde diabo arranjaria outro tão fiel.

*

De vez em quando ia visitá-lo, levava-lhe frutas, indagava dos médicos sobre seu estado.

— Está melhorzinho — lhe diziam.

Não estava: no seu primeiro dia de hospício fora juntar-se aos outros companheiros de infortúnio no pátio e participou de um incidente que contribuiu para agravar-lhe o desequilíbrio mental: acontecia estar ali internado um capitão de infantaria que perdera a razão durante uma parada militar. Pois o divertimento do tal capitão era pôr os demais internos em formação e ficar a tarde toda comandando ordem unida:

— Esquerda, volver! Ordinário, marche!

Os outros, que não queriam meter-se em complicações com o Exército, por amor à pátria ou por ver naquilo um bom exercício, ou ainda por serem doidos, obedeciam humildemente. A direção do hospital não interferia, porque as manobras do capitão haviam trazido boa ordem para os momentos de lazer dos doentes. Quando o diretor aparecia, o capitão berrava para a tropa:

— Olharrrrrrrrrrrrrrr... à DIREITA!

E o diretor, conformado, tinha de assistir ao desfile. Nada mais condizente com as inclinações insanas do ex-Sargento José dos Santos. Chegou e ficou olhando.

— Você aí, entra na fila! Enquadre-se! — gritou-lhe o capitão.

Em vez de obedecer, avançou para o capitão e desferiu-lhe um tremendo bofetão na cara. O capitão rolou por terra, levantou-se, e prestou continência:

— Às suas ordens, coronel.

Os doidos tinham, pois, um novo comandante. O capitão entrou na fila ele próprio, enquanto o Coronel José dos Santos passava a comandar as evoluções de sua unidade.

Eis que o protetor do pobre homem teve a surpresa de saber, quando foi visitá-lo, que ele havia sido promovido de sargento a coronel:

— O meu pessoal está afiado, meu velho — dizia o coronel dos doidos, numa intimidade natural entre oficiais de igual patente.

*

— Um dia o coronel recebeu um telefonema do hospício: José dos Santos havia morrido. Deixara de visitá-lo e aos poucos o abandonara à sua própria sorte. Sentiu remorso (o coronel era espírita) e resolveu dispensar ao seu antigo servidor um enterro condigno, que correspondesse em intenção às honras militares pelo pobre homem certamente esperadas. Tomou todas as providências junto a uma empresa funerária e rumou para o hospício.

— Trouxe o caixão para o enterro. Onde está o homem?

Só então verificou o equívoco: o José dos Santos que morrera era outro, um pobre doido que não passara nunca de soldado raso nas manobras do pátio. O Coronel José dos Santos continuava lá, comandando o pelotão.

— Não pode ser! — retrucou o coronel, aborrecido. — Então o homem ainda não morreu? Como foi acontecer uma coisa dessas?

— Isso aqui é um hospício — sorriu-lhe o diretor. — Havia dois José dos Santos e um deles morreu. Lamento que não tenha sido o do senhor.

— E agora? Já tomei providências, o enterro está encomendado.

— Enterre o outro — sugeriu o diretor.

— Enterrar o outro? — e o coronel coçou a cabeça, irresoluto: — Mas se eu nem conhecia o outro!

— Matar o homem é que eu não posso — retrucou o diretor, também já aborrecido.

O coronel começou a andar de um lado para outro.

— Como vai indo ele? — perguntou, em dado momento.

— Ele quem?

— O José dos Santos, ora essa.

— Morreu.

— O outro!

— Ah, esse? Melhorzinho... Aguardando promoção a general.

O íntimo do coronel era um campo de batalha: de um lado o insopitável desejo de acabar logo com aquilo, e de outro a expressão "antigo e fiel servidor" aguilhoando-lhe a consciência.

— Quer dizer que ele morreu, ahn?

— Quem morreu foi o outro — esclareceu o diretor com paciência.

— Eu sei! O outro — murmurou o coronel. E acrescentou: — Quer saber de uma coisa? Vamos enterrá-lo.

E foi-se embora, em paz com a sua consciência. A guerra havia acabado: o coronel matara dois coelhos com uma só cajadada.

SESSÃO DE HIPNOTISMO

A DONA da casa nos abriu a porta de mansinho, pediu silêncio com um dedo sobre os lábios e fez sinal que entrássemos. Entramos, pé ante pé, já meio hipnotizados. Curvado sobre uma poltrona no canto mais escuro da sala, o hipnotizador tentava adormecer uma jovem. Ao fundo, cinco ou seis vítimas aguardavam a vez, uns muito sérios, outros contendo o riso. Na poltrona a jovem nunca mais que dormia e, já meio chateada, olhava o relógio de pulso que o hipnotizador segurava no ar.

"Você vai dormir... Suas pálpebras estão pesadas... Tudo vai desaparecendo" — insistia ele, com voz macia, mas acabou ordenando: "Feche os olhos." A jovem fechou. Com a mão ele fez sinal que nos aproximássemos. "Levante o braço". A moça levantou. "Agora você não pode abaixar o braço." Voltou-se para nós: "Viram? Ela está dormindo. Não consegue abaixar o braço. Se tentar, encontra uma resistência." Ouvindo isto, a bela adormecida abaixou o braço imediatamente, não encontrou resistência nenhuma.

"Bem", prosseguiu o homem, "às vezes a pessoa fica assim, meio rebelde. Obedece tudo direitinho, mas ao contrário". Aproximou-se de novo da poltrona: "Agora", sussurrou para ela, "preste bem atenção: você queria parar de roer unha, não é? Pois bem: quando acordar, nunca mais vai roer unha. Vai ter consciência de que é um hábito muito feio, desagradável. E pronto: quando eu contar até três, pode acordar".

No que ele disse "um", a moça se ergueu da poltrona, lépida e satisfeita. "Você dormiu mesmo?" perguntamos, impressionados. "Como é que vocês queriam que eu dormisse, com ele falando o tempo todo no meu ouvido?" Concordamos em que ela fizera muito mal em abaixar o braço: "muito feio isso, desobedecer o homem dessa maneira". Ela ergueu os ombros: "tanta coisa, só para me dizer que roer unha é muito desagradável. Essa não!" E afastou-se, roendo as unhas.

*

Voltamo-nos para o hipnotizador, que nos convocava:

— Algum de vocês quer experimentar? Faço dormir num instante, é só sentar aqui nesta poltrona. Se alguém quiser deixar de fumar, de beber, de roer unhas... Algum hábito feio, algum vício?

Ficamos todos com nossos brios ligeiramente ofendidos: via-se que ali ninguém tinha vícios nem feios hábitos, era tudo gente de muito boa família. Todos começavam a sentir é vontade de dormir. Outra moça, a mais bela da reunião, resolveu candidatar-se:

— Mas dormır só, hein! Nada de responder, contar segredos, essas coisas.

O homem tranqüilizou-a: hipnotismo não servia para isso não. Nada que contrariasse a vontade íntima da pessoa. O subconsciente reagia, sabe como é? e a pessoa acordava.

— Assim. Relaxe bem o corpo. Faz de conta que você está numa nuvem. Feche os olhos. Está solta, largada no espaço...

A moça saiu voando pela sala. Alguém me pediu um cigarro, outro começou a contar baixinho uma anedota. O namorado da moça, inquieto, era o único que, além do artista, não tirava os olhos dela. "Se esse sujeito fizer alguma coisa, vai ter". A dona da casa nos lançava mudos apelos. Nós não estávamos fazendo nada, só conversando; alguém sugeriu que tentássemos hipnotizar o hipnotizador.

— Você vai dormir — prosseguia ele, imperturbável: — Você está dormindo... dormindo... já dormiu. Agora vou fazer uma experiência de telepatia.

Tomou-lhe uma das mãos entre as suas, o namorado da moça deu um passo à frente.

— Você vai responder qual o número que eu estou pensando — e mostrou-nos três dedos. — Agora: concentre-se. Qual é o número?

— Nove — respondeu prontamente a moça.

— Quase... — disse ele, indulgente.

"Quase por quê?" alguém perguntou: "Uê, três vezes três, nove — deve ser isso". Ele ordenou silêncio com o olhar, sussurrou: "Assim ela acorda". A moça abriu um olho paıa nós, tornou a fechar. "Onze?" "Não: tente de novo". "Treze! Noventa! Mil!" prosseguia ela. Ele sacudia a cabeça: "Vou pensar outro número", insistiu, mostrando-nos os dedos todos da mão: "concentre-se: qual é?" "Três!" exclamou a moça. Ele sorriu, desalentado: "Três foi antes. Veio um pouco atrasado. Mas não tem importância. Quando eu contar três..." A moça não esperou para se erguer. "O quê, já acordou?" espantou-se ele. E para nós: "Ela é sensível, reage rápido".

*

— Uma vez uma amiga minha foi hipnotizada e tocou violino, andou de avião, chupou jabuticaba...

— Pois eu faço tudo isso — saltou o homem, procurando com os olhos uma vítima. Todos se recusavam:

— Levantei muito cedo hoje, estou morto de sono. Se dormir, só acordo amanhã.

— Muito obrigado, não gosto de jabuticaba.

A dona da casa achou que era uma desfeita e se pôs às ordens.

— Vamos ali para a outra sala, que aqui o pessoal não fica quieto mesmo.

Passaram à outra sala. Alguns minutos depois ele voltou, conduzindo-a pelo braço:

— Não falei? Está dormindo.

— Cuidado para eu não tropeçar em alguma cadeira — pediu ela, de olhos fechados.

— Não fale nada — ele ordenou: — Você está dormindo. Agora tome, isso é um violino. Toque violino.

— Eu, hein? Nunca toquei violino! Isso é ridículo.

— Ela é meio rebelde — reconheceu ele, voltando-se para nós. De novo para sua paciente: — Não tem importância. Então chupe uma jabuticaba. Olhe aqui, uma porção de jabuticabas, você não gosta?

— Adoro. Mas não tem jabuticaba nenhuma aí.

— Chupe uma — insistia ele, já meio ansioso: — Ao menos uma. Faz de conta que tem. Chupe a jabuticaba e cuspa o caroço fora.

— Vontade eu tinha — disse ela, e abriu os olhos. Ele ergueu os ombros:

— Ela não colabora — escusou-se.

De súbito descobri que minha presença é que devia estar perturbando as experiências. Então me despedi de todos, bati as asas, levantei vôo e saí pela janela.

HOMICÍDIO OU SUICÍDIO?

CERTA noite um homem e uma mulher entraram num bar, em São Paulo. Sentaram-se, pediram martini seco. Enquanto o garçom os servia, ela foi ao telefone, ele acendeu um cigarro. Quando sua companheira regressou, ele ainda nem havia provado a bebida. Ambos viraram o cálice de uma só vez, e a mulher caiu fulminada, teve morte quase instantânea.

Aproveitando-se da confusão que se seguiu, o homem desapareceu. A princípio, a polícia pensou tratar-se de suicídio. Na bebida ingerida — só a dela — havia uma dose mortal de estricnina. Apuraram a identidade da mulher, por via das dúvidas localizaram e prenderam seu amante, um funcionário público. Era ele.

O homem se defendeu como pôde: foi suicídio. Então por que fugiu? Nessas horas a gente não pensa em nada, perde a cabeça. Você se aproveitou da ausência dela para pôr o veneno. Não aproveitei nada, não pus nada: ela se suicidou — pode muito bem ter posto o veneno antes de ir telefonar. Vivia dizendo que um dia acabava fazendo uma loucura, e a culpa seria minha. Isso não prova nada, a culpa foi sua mesmo. Ele acabou confessando um dia: fui eu mesmo.

No julgamento, porém, surpreendeu a todos, alegando inocência novamente: a confissão fora extorquida na polícia, sob tortura física. Foi absolvido por falta de provas. E ninguém mais teve notícia dele.

*

Dois anos depois, um investigador entrou no gabinete do delegado de plantão:

— Doutor, tem aí fora uma mulher que veio fazer uma queixa. Disse que só com o senhor.

— Pois mande entrar.

Entrou uma mulherzinha de seus quarenta anos, decidida e de passo firme. Foi logo dizendo:

— Ele vai me matar, como matou aquela vagabunda.

— Que vagabunda? — espantou-se o delegado.

A mulher contou a sua história: desde que ele assassinara a amante, vivia ameaçando a esposa de fazer o mesmo com ela.

— Pode ser que ele consiga, mas desta vez não vai ser absolvido não, isso é que não! A prova está aqui.

— Onde? — perguntou o delegado, cada vez mais intrigado.

— Na minha queixa, doutor. Se eu morrer, foi ele. Quero lavrar uma queixa. Desta vez ele não escapa.

O delegado fez a vontade da mulher: chamou o escrivão, mandou que ele lavrasse a queixa. O escrivão, um velho funcionário com mais de trinta anos de serviço, coçava a cabeça, irresoluto:

— É a primeira vez que eu vejo uma história dessas. E olha que eu tenho visto coisas.

— Ele vai dizer que foi suicídio — reafirmou a mulher, depois de atendida, se despedindo.

O delegado se lembrava do caso — um de seus subordinados havia mesmo trabalhado no inquérito. Mandou chamá-lo.

— Nós nem encostamos a mão no homem, doutor. Uns empurrõezinhos à-toa. Deu o serviço completo. Foi ele mesmo: tipo perigoso, convém abrir o olho.

*

O delegado abriu o olho: mandou trazer o homem à sua presença. Mas não parecia tipo perigoso — nervoso, encurvado, envelhecido:

— Sofri o diabo, doutor. Apanhei na cara, fui levado daqui para ali, passei quase uma semana sem dormir — quem é que não confessava? Perdi meu emprego, fiquei desmoralizado, tive de me mudar, passei miséria. Agora vem essa desgraçada da minha mulher me enredar de novo. Vive ameaçando de suicidar, vai pôr a culpa em mim. E o pior é que desta vez não escapo mesmo — eu quero garantias.

O delegado, que era versado em literatura, sentia-se um personagem à procura de Pirandello:

— Que garantias? Contra o suicídio dela? E por que ela haveria de se suicidar?

— A justiça me absolveu, mas ela nunca me perdoou. Ficou até meio maluca, o senhor não reparou?

O delegado procurava reparar agora, quando a mulherzinha voltou à sua presença para iniciar o segundo ato:

— Doutor, a coisa é pra já.

Resolveu levar a peça até o fim, designou um investigador para vigiar o casal:

— Fica vivo, que nenhum dos dois me parece bom da cabeça.

※

Ao fim de uma semana o investigador lhe pedia que desistisse:

— Eu é que acabo maluco, doutor. Não vai acontecer nada com aqueles dois. Isso não é serviço pra homem! Só faltam me pedir para deitar na cama com eles.

O delegado concordou em dispensá-lo do serviço e se dispôs a esperar o suicídio — ou assassinato — da mulher. Alguns dias depois ela lhe aparece na delegacia, mais morta do que viva:

— Vim retirar minha queixa.

— Retirar a queixa? — o delegado se pôs a rir: — Então ele desistiu de matar a senhora?

— Não: vai matar. Eu estou perdida mesmo, não tem jeito não, aquele homem é diabólico. Quero retirar a queixa porque descobri que até isso faz parte do plano dele: foi ele quem sugeriu que me queixasse à polícia. Eu estou perdida.

Suspirou, resignada:

— Que hei de fazer? Não posso me separar dele, que ele me mata. E minha vida atualmente é um inferno, tudo que eu bebo, tudo que eu como é para cair morta em seguida. Não tenho sossego, nem posso dormir, só de pensar que ele está ali ao meu lado, aguardando um descuido meu. . .

No dia seguinte era o marido:

— Ela vai se suicidar, doutor! Não viu como ela está abatida?

E também suspirou, desalentado:

— Desta eu não escapo mesmo. Como posso vigiá-la dia e noite até o fim da vida? Isso não é vida, quem acaba morrendo sou eu.

O delegado acabou perdendo a paciência, mandou chamar os dois:

— Isso aqui é delegacia de gente morrida e de gente matada. Essa história de "vai morrer" escapa à minha jurisdição, não é comigo não. Quando houver cadáver, me chamem. A senhora trate de não se suicidar, o senhor de não matar ninguém. Se suicidar, fica suicidada, se matar, vai para a cadeia. Entenderam?

E resolveu dar o caso por encerrado. Mas estava escrito que a peça jamais teria último ato, pois ela, muito impressionada, perguntou:

— E se *ele* se suicidar, e puser a culpa em mim?

Ao que o homem saltou, assustado:

— Doutor, *ela* é que está pensando em me matar.

AS ALPERCATAS

ERAM alpercatas de cangaceiro, o que eu procurava, no mercado do Recife: sabia de sua existência e imaginava que seriam ideais para o alívio dos pés durante o verão carioca. Depois de muito virar e mexer, descobri uma venda com sapatos de toda espécie dependurados em barbantes, e entre eles as tais alpercatas. Não me pareciam, todavia, das legítimas.

— De cangaceiro?

— De cangaceiro.

Indaguei de Josué, que me acompanhava na procura, o que é que ele achava: embora fossem trabalhadas em couro cru, conforme a tradição, levavam uma horrenda sola de pneu de automóvel, o que as fazia muito pouco apresentáveis aos meus olhos.

— Você teria coragem de usar um troço desses?

— Isso não tem importância — protestou ele:
— Lá no Sul a gente manda transformar em sandália, com sola de couro, qualquer sapateiro é capaz de fazer. E se esse negócio é mesmo de cangaceiro,

então deve ser confortável: foi feito para agüentar muita caminhada em terra seca, pela caatinga.

Não sei como não associamos desde logo a palavra, que se referia às terras do Nordeste, ao cheiro de couro cru que as tais alpercatas tresandavam. E como dois turistas incautos, cada um comprou a sua, depois de experimentá-la e se dar por satisfeito. Trouxe então a minha para o asfalto carioca, Josué levou a dele para os pagos do Rio Grande.

*

Minha experiência foi desastrosa, se bem que sumária. Tão logo cheguei, calcei as alparcas de belzebu com a displicência de quem usasse uma sandália qualquer, mas meu filho, tão logo me viu, começou a rir, apontando:

— Olha só que coisa mais esquisita papai está carregando no pé!

Censurei-o, aborrecido: que bobagem é essa, menino? Nunca viu uma sandália de cangaceiro? Os outros, curiosos, se juntaram logo, a comentar:

— É um pedaço de pneu, olha aí.
— Parece de mulher.
— Tem cheiro de bacalhau.

Indiferente à incompreensão dos espíritos ainda mal formados, saí por aí, firme nos cascos: esqueceria as alpercatas, tão logo se integrassem, com o uso, na minha indumentária de verão. Mas elas rinchavam mais do que porta de casa mal-assombrada e eu andava com dificuldade, em passos pesados de escafandrista. Em pouco nascia uma bolha d'água no dedo mínimo de cada pé. A mulher de um amigo apontou horrorizada, tapando o nariz:

— Você pisou em alguma coisa.

Tive de render-me à evidência: o diabo da alpercata até que não era feia, com um pouco de boa vontade podia ser tomada como um original *mocazzin* italiano. Mas era dura como um tamanco e positivamente um cangaceiro devia ter cascos de bode para suportá-la nos pés. Voltei para casa assobiando "Muié Rendera" e palmilhando o asfalto como um camelo velho. Desde então nem quis mais ouvir falar em alpercatas de cangaceiro.

*

E o cheiro? Referências a essa peculiaridade das sandálias de couro cru, deixo-as fazer meu amigo Josué, que agora me escreve lá do Sul:

"Meu filho, ando doente por te contar a triste história do par de sapatos de cangaceiro que tivemos a idéia de comprar lá no porto do "Quem Me Queira". (Devia chamar-se "Quem Me Cheira"). Quando abri a mala, a impressão geral era de que eu havia trazido um cadáver do Recife, talvez de uma criancinha, filha de retirante. No mesmo dia os urubus começaram a sua ronda sinistra sobre o telhado da minha casa. Arranjei uma caixa de sapato e trancafiei lá dentro os borzeguins de Lampião. Inútil: o cheiro se infiltrava, se coava, se expandia. Minha filha levou a caixa para o banheiro da empregada. Perdi a empregada. Depois a caixa foi guardada na churrasqueira do pátio e ainda hoje se encontra lá, como um objeto intocável, lembrando às vezes haja alguém esquecido, na última churrascada, algum naco de carne entre o carvão. Mas isto não foi tudo. Acontece que um dia — domingo — resolvi dar uma volta com eles, na tola esperança de causar sucesso entre os indígenas. Já no carro foi preciso abrir todos os vidros e respiradouros. Quando cheguei na casa de um amigo tive o dissabor de ver que todos se entreolhavam e buscavam sob os móveis o causador daquele estranho fenômeno. O gato e o cachorro passaram a ser olhados com desconfiança. Será que teus borzeguins têm passado despercebidos? Estou disposto a mandar-te de presente os meus. Não haverá por aí algum amigo comum que queira um par de alpercatas que lembra a própria história do cangaço? Faço qualquer negócio, mas urgente, imediato. . . "

Passo adiante, pois, a proposta, tornando-a mais sedutora para encarecer-lhe a urgência: não um mas dois pares. Pois eu também faço qualquer negócio.

ANJO BRASILEIRO

VEIO da Espanha para o Brasil como emigrante em 1911. Começou trabalhador braçal, deu duro na vida e acabou corretor de terrenos. Vivia estudando religião. Um dia, em 1938, um anjo lhe apareceu e disse:

— Tu vais sofrer um desastre desgraçado, velhinho. Mas te agüenta aí que ainda não será desta vez.

Comunicou à mulher a visão que tinha tido, tranqüilizou-a como pôde e saiu à rua. Sofreu um desastre de automóvel, ficou quatorze dias em estado de coma, mas não morreu, como o anjo dissera.

Outra vez, e isso já em 1956, o anjo tornou a aparecer:

— Como é lá, meu chapa, te prepara para outra, mas ainda não será desta vez.

— Quando é que será? — perguntou ele, já meio chateado.

— Quando você fizer 66 anos. Até lá, pode ficar descansado.

— No dia 25 de março de 1959, então — ele retrucou rapidamente, antes que o anjo desaparecesse: — Posso saber as horas?

— Anjo não usa relógio, o que é que há?

— A hora em que vou morrer — esclareceu ele.

— Se você faz questão: às duas e meia da tarde.

Sofreu um ataque do coração quando vendia um terreno, e não morreu. Mas esteve entre a vida e a morte — tranqüilizava a todos que se preocupavam com a sua saúde — a mulher, a filha, os vizinhos:

— Não tem perigo: vou morrer no dia 25 de março de 1959 às duas e meia da tarde, o anjo disse.

— Anjo? Que anjo?

A palavra se espalhou pelo bairro que Pérez, o espanhol, tinha visto um anjo. Os curiosos vinham visitá-lo:

— Como é que foi isso, seu Pérez? O anjo não disse nada pra nós? Como é que ele era?

— Para vocês não disse nada, mas se quiserem posso apurar, da primeira vez que ele me aparecer de novo.

E deslumbrava a todos, repetindo sempre a sua história, descrevendo as feições do anjo:

— Meio caladão, mas não é mau sujeito.

O tempo foi passando e o espanhol ganhava prestígio nas redondezas. Cada um tinha uma pergunta, uma lembrança, uma encomenda para quando o anjo reaparecesse.

— Deve andar por aí, qualquer hora dessas ele aparece.

No dia marcado, passou a manhã em preparativos. Despediu-se de todos, deixou em ordem seus papéis, dispôs de suas coisas e desde meio-dia ficou aguardando a visita do anjo.

— Convém você arranjar uma vela para acender na hora — preveniu à filha. Já está tudo arrumado?

Acertou o relógio e deitou-se na cama. Lá fora os vizinhos se agrupavam esperando o desenlace, a multidão ia aumentando. Vinte minutos depois das duas o espanhol se ajeitou na cama para morrer. O quarto foi invadido de gente, repórteres, fotógrafos:

— Caramba, quanta gente! Assim é capaz até dele se espantar — dizia rindo, e acrescentava que não daria trabalho a ninguém, seu destino estava selado, morreria às gargalhadas para que ninguém ficasse triste. E às duas e meia quedou-se imóvel, aguardando a morte. Lá fora a multidão inquieta, na expectativa:

— Está na hora.

Fez-se silencio e todos esperavam, contritos, que o espanhol morresse. E ele ali firme, na cama, já em postura de defunto, pernas esticadas e dedos cruzados:

— Minha filha, acende a vela de uma vez.

A filha acendeu a vela e nada. Faltavam vinte para as três e nada de anjos nem de coisa nenhuma

— Com certeza não pôde entrar com tanta gen· te aí fora — aventurou alguém.

— Vamos esperar mais quinze minutos. Meia hora de tolerância, afinal de contas. já esperei tanto tempo.

Mas o povo não queria saber de esperar e os primeiros sinais de impaciência se manifestavam:

— Como é, morre ou não morre?

— Se não morrer agora ele vai se dar mal.

Alguns, mais afoitos, subiam às janelas e a multidão apupava, ameaçando apedrejar a casa.

— Mais quinze minutos, gente — pedia o espanhol, já aflito. — Tenham um pouco de paciência ..

Às quatro horas da tarde ninguém queria mais saber de esperar:

— Se é pra morrer mesmo, a gente apressa o serviço.

Os mais revoltados já se dispunham a invadir a casa para dar cumprimento à previsão do anjo:

— Agora ele tem obrigação de morrer.

— Para aprender a não fazer a gente de besta.

— Mata! Lincha!

Alguém acabou chamando a radiopatrulha. Uma só guarnição não bastou para enfrentar a fúria dos manifestantes, abrir caminho e dar proteção ao homem.

— Já que o senhor não morreu, convém descansar numa casa de saúde — sugeriu diplomaticamente um dos guardas.

Tiveram de levá-lo, porque a multidão enfurecida queria acabar logo com a sua raça.

— Caramba! — dizia ele, apreensivo: — Assim também não.

Teve de mudar-se para outro bairro, embora a contragosto:

— Contar com anjo brasileiro dá é nisso — resmungava.

O GORDO E O MAGRO

IA PASSANDO pela Rua do Ouvidor, quando alguém me chamou pelo nome:

— Não se lembra de mim?

Era um homem magro, de óculos, bigode fino, devia ter seus 30 anos.

— A fisionomia me é familiar, mas confesso que...

— Não, você não se lembra — e com um sorriso tirou-me da situação difícil, dizendo o seu nome. Chegou minha vez de sorrir:

— Bem, com esse nome conheço outro, mas não você.

— Sou eu mesmo — insistiu ele.

— Absolutamente. O que eu conheço não é magro feito você: aliás é gordíssimo, pesa mais de cem quilos.

— Cento e dez, para ser exato. Mas pesava, não peso mais.

Olhei-o com estranheza, de repente, tive de me reequilibrar nas pernas para não cair: era ele mesmo, eu reconhecia agora. O mesmo, apenas reduzido à metade, numa versão desidratada.

— Irmão dele? — arrisquei ainda: — Realmente, vocês se parecem...

— Irmão nada. Sou o próprio. Aliás, já estou acostumado com esses espantos. Fiz regime, emagreci cinqüenta e cinco quilos em seis meses.

Na verdade, fazia algum tempo que não o via. Então fora mesmo reduzido à metade! Eu não podia acreditar.

— Que diabo de regime é esse? — e eu o examinava dos pés à cabeça como se fosse um raro fenômeno — e era — ali no centro da cidade, um elefante de súbito transformado em colibri. E de óculos — que agora me pareciam mesmo extremamente grandes para o seu rosto.

— Se fossem somente os óculos — admitiu ele: — Mas tudo ficou assim de repente, grande demais. Até o espaço ao meu redor.

E me explicou a natureza do tratamento a que se submetera. Um médico, se não me engano nutricionista (deu-me o nome e endereço, caso eu precisasse, mas, muito obrigado, eu não precisava) lhe impôs uma dieta especial, tudo pesado e medido rigorosamente. Ao fim de algum tempo era capaz de medir pelo olho qualquer alimento que ingerisse, com uma precisão miligramétrica. A par disso, exercícios especiais e um tratamento glandular.

— Pois sim, estou entendendo — balancei a cabeça, perplexo, e já achando o fenômeno irresistivelmente engraçado: — Mas onde é que você deixou a outra parte?

— Que outra parte?

— Sua outra metade. Meu Deus, não vá me dizer que você é o "Incrível Homem que Encolheu".

Ele riu:

— Deixei por aí, nem sei dizer como. Foi tão rápido, um emagrecimento tão violento, que nem me deu tempo de fazer mentalmente uma adaptação psicológica. Até hoje, quando acho graça em qualquer coisa, me surpreendo dando risadas de gordo, inclinado para trás, e segurando com as mãos uma barriga que não tenho mais... Na praia, quando alguém me chama para um jogo qualquer, bater uma bola, por exemplo, meu primeiro impulso é sempre dizer que não posso, de repente me lembro que posso e saio correndo, pesadão, sacudindo as banhas e procurando equilibrar o corpo, mas não tem banha nenhuma e cada passo meu é um salto de cabrito, até pareço estar voando.

Contou-me que ao passar numa porta sua tendência é ainda a de se enfiar por ela como um paquiderme, e de ocupar nos elevadores, nas ruas movimentadas ou no ônibus o mesmo espaço que seu corpo volumoso antigamente exigia.

— Pois é isso, perdi com esses 55 quilos a noção de meus verdadeiros limites.

O que me espantava era sua pele ter-se encolhido normalmente, envolvendo um homem franzino como outro qualquer. A menos que ele a tivesse repuxado, concentrando as sobras num só desvão do corpo que trouxesse, por exemplo, escondido dentro das calças — e essa idéia me pareceu surrealista por demais para as três horas de uma tarde quente em plena Rua do Ouvidor:

— Alguma operação plástica?

— Não foi preciso: a pele é de uma elasticidade extraordinária — a não ser nas pessoas muito velhas. Assim como ela estica, ela encolhe, não sei se você sabe.

— Sei, sei...

— Mas a roupa é que não encolhe: tive de mandar fazer tudo de novo: ternos, camisas, cuecas, tudo.

— E você não tem saudades do gordo?

— Tenho — concordou ele, depois de pensar um instante: — Às vezes tenho. Até que era um sujeito simpático, tratado com mais consideração, os outros mantinham certa distância, a vida era mais macia...

— Mais pesada — arrisquei.

— Nem tanto: tudo é proporcional. Se um sujeito de 55 quilos montar hoje nas minhas costas eu não o carrego com a facilidade que carregava o outro, como você diz.

— Então por que você não torna a engordar?

— Nem que eu quisesse não poderia. O tratamento é fabuloso até nesse ponto: posso comer e beber o que quiser, que não engordo mais. Os outros, que não me conheciam antes, até ficam preocupados: você anda muito magro, precisa engordar um pouco...

E inclinando-se para trás, deu uma das tais risadas de gordo. Antes que eu me recuperasse de meu pasmo, despediu-se:

— Preciso ir andando. Não fique aí a me olhar como se eu fosse um fantasma!

Vi-o afastar-se, não como um fantasma, mas em passinhos lépidos, saltitantes, braços um pouco separados do corpo, como alguém que de um momento para outro fosse bater asas e desgarrar-se do chão.

*

Essa história de regime para emagrecer tem das suas surpresas. Tempos mais tarde narrei o encontro numa revista e comecei a receber carta de tudo quanto é gordo deste país, pedindo o nome do médico que emagreceu o outro. Já não me lembrava — e minha situação foi ficando penosa, pois, não tendo revelado o nome do cliente por natural discrição, não sabia se devia recomendar aos leitores que o interpelassem diretamente. Fiz, então, um apelo ao próprio pelos jornais: se por acaso me lesse e se a história de seu emagrecimento por mim narrada não chegara a melindrá-lo, que me mandasse o nome do tal médico emagrecedor, para que eu pudesse atender aos demais gordos desta praça. Quanto ao médico em questão, se porventura viesse a ficar a par dessas pragmáticas, como diz o outro, estivesse certo de que nada me ficaria a dever pela imensa e volumosa clientela que de uma hora para outra invadiria seu consultório.

E um dia ele me telefonou. Telefonou às gargalhadas — já de si suspeitas, pois eram dessas gargalhadas de que só são capazes os verdadeiramente gordos:

— Li o que você escreveu — me explicou, quase sem fala.

— Espero que você não tenha se aborrecido — respondi, cauteloso.

— Mas pelo contrário, não queira imaginar como me diverti.

— Pois veja você — e respirei, mais à vontade: — Agora os gordos estão querendo saber o nome do tal médico, você podia me dizer?

— É exatamente o meu caso — e ele não podia mais de tanto rir: — Também estou querendo conhecer esse médico.

— Não entendo: pois você não fez aquele tratamento...

— Fiz, mas queria que você me visse agora.

Certamente eu estava sendo vítima de uma brincadeira:

— Que aconteceu com você?

— Aconteceu que essa história de engordar ou emagrecer, meu velho, não tem tratamento, nem médico, nem coisa nenhuma: a questão é outra. Comer ou não comer, eis a questão! Fiquei magro, achei que podia comer de tudo, comecei a comer. Se você me visse hoje!

E encerrou suas palavras com mais uma gargalhada:

— Estou de novo com cento e dez quilos, tão gordo quanto era antes.

AMOR EM PORTUGAL

As DUAS professorinhas brasileiras se desgarraram da comitiva e como a pulga na balança deram um pulo e foram à França. Mas as coisas não andaram muito bem com elas em Paris: sem ter a quem procurar, circularam aqui e ali, não puderam virar o outro lado da noite, como pretendiam. Recolheram-se cedo, divertiram-se pouco. Em Portugal há de ser diferente — se asseguraram então, mais prevenidas, ao embarcar num avião para dois dias em Lisboa. Ah, como é diferente o amor em Portugal. Ainda em pleno vôo travaram conhecimento com dois cidadãos da mais nobre estirpe lusitana. Sendo ambas moças de boa família, não deixaram de tomar suas precauções, enquanto a conversa evoluía dos simples termos de cortesia em viagem para um convite à valsa, ou ao fado, ou mais precisamente ainda: para conhecer Lisboa pela mão de dois legítimos lisboetas.

— Estou vendo se descubro se o meu é casado — cochichou uma para a outra.

— O meu está dizendo que é marquês — comunicou a outra, torcendo o rosto e escondendo a boca com a mão.

— Tem cara mesmo de marquês com essa bigodeira toda.

— O seu podia ser seu pai...

Contendo o riso, e animadas pela perspectiva de um bom programa em Lisboa, como jamais lhes propiciaria o seu dinheiro justo e contadinho, voltaram a estudar discretamente as delicadezas de seus companheiros de viagem. De súbito uma delas se assustou, e simulando um comentário casual sobre a viagem, soprou para a amiga na outra fila de poltronas:

— Minha filha, o meu é sogro do seu!

A outra era mais prática, com seu jeitinho de virar o rosto escondendo a boca:

— Eu não te disse que ele podia ser seu pai? Te agüenta aí e faz a distinta que o meu é marquês de verdade.

Acabaram pedindo licença a seus novos conhecidos e foram confabular à porta do toalete, na cauda do avião:

— Que é que você acha?

— Que é que eu acho? Eles são casados, o bigodudo é genro do velho.

— E daí? Nós não estamos pretendendo casar com eles, estamos?

— Você acha que a gente pode sair com eles assim mesmo?

Ambas riam, excitadas com a aventura.

— O seu até que é simpático. Ele é marquês de quê?

— Sei lá. De Rabicó. Disse que tem um carro esporte, modelo especial.

— Você não quer trocar com o meu?

Cutucaram-se, mudando de assunto, ante a aproximação de um de seus novos amigos:

— O que estão aí a chacoteaire as moçoilas? — galanteou ele, de passagem, aproveitando-se da folga para ir mesmo ao toalete.

As moçoilas decidiram levar avante a idéia do passeio, defendidas pela manifesta correção dos dous fidalgos. Deram o nome do hotel em que se hospedariam, e naquela mesma noite, já em Lisboa, eles foram buscá-las para jantar num restaurante típico da terra, uma casa portuguesa com certeza. Depois visitaram casas de fado, beberam e dançaram, guardando a prudente distância que a própria barriga de seus acompanhantes lhes assegurava. Finalmente se recolheram sãs e salvas, para os alegres comentários noite adentro.

No dia seguinte uma delas, a do marquês, encontrou-o já pela manhã a esperá-la na portaria do hotel, com seu carro à porta:

— Vim buscar a senhorita para um passeio aos arrabaldes — disse, juntando à sua distinção um respeitoso cumprimento à elegância da moça: — Como estás pipi!

— O quê?

Pipi quer dizer alinhada, bem vestida — e isso ela não sabia.

O carro era realmente um belo conversível modelo especial, e nele saíram a passear pelos arrabaldes. Tudo ia muito bem, quando a certa altura de uma estrada deserta o marquês resolveu estacionar. "É agora", pensou ela.

— Você não acha que já está ficando um pouco tarde? — disse, como que casualmente.

— Por favor, chama-me de tu.

— Como?

— Chama-me de tu...

— Ah! — riu-se ela: — É que no Brasil, você compreende...

— Tu...

— Está bem: tu.

Ele soltou um suspiro arrancado do fundo da alma: aaaí! De súbito reclinou-se para ela, cofiando os bigodes:

— Deixa-me beijá-la?

— Não — balbuciou a moça, encolhendo-se na extremidade do banco.

— Não tens confiança em mim?

— Tenho — e ela virou o rosto para esconder o riso: parecia-lhe que tão logo concordasse, ele levantaria a bigodeira como uma cortina para poder beijá-la. — Eu sei que você é muito pipi, mas...

— Tu — pediu ele, com outro suspiro, desta vez resignado. Mas logo voltou à carga:

— Então deixe-me ao menos f'tá-la.

— Deixa o quê?

A situação estava ficando séria. Se beijar não deixara, que novo favor o marquês esperava dela? De súbito, porém, entendeu:

— Fitar pode.

Então o marquês pôs-se a olhá-la de perto, de baixo para cima como num filme silencioso, o bigode fremindo — e ela ali, firme. Depois deu movimento ao carro e partiu em direção ao hotel.

— A amiga veio ao seu encontro, alarmada:

— Onde é que você se meteu?

— Chama-me de tu — disse ela. misteriosa.

O TENENTE MÁGICO

HAVIA um tenente que fazia mágicas. Hoje deve ser major ou coronel, se já não passou pela mágica de ir diretamente a general de pijama. Aprendeu o ofício com um mestre europeu, fez o curso completo em três "matérias": prestidigitação, ilusionismo, e aquela outra que se refere a escapar de algemas, laços e prisões, que fez a glória de Houdine, não sei que nome tenha. Eram seus colegas de aprendizado um industrial de São Paulo e um marinheiro. O industrial de São Paulo aprendeu o bastante para fazer dinheiro fácil e abundante, hoje é grande capitalista naquela praça. O marinheiro caiu no mundo, e se já não morreu, deve estar embasbacando os papalvos de tudo quanto é porto.

Éramos dois aspirantes, mais o tal tenente e um capitão adventício, jogando cartas à noite no quarto de hotel. Exigíamos que o mágico se despisse, jogando apenas de cuecas — mas ainda assim a horas tantas, quando a sorte lhe era adversa, cometia com um passe inesperado o irritante prodígio de fazer desaparecer todo o baralho. Por mais que déssemos busca, não o encontrávamos — e com outro gesto seu as cartas começavam a pingar do nariz do capitão. O capitão não achava graça, mas como ganhava sempre, e nem podia ser de outro modo, estava respeitada a hierarquia.

Quando saíamos com ele à rua os prodígios se sucediam: éramos três ou quatro a entrar numa festa do clube local, embora só dispuséssemos de um convite: o convite era entregue por ele ao porteiro e surripiado várias vezes para ser entregue novamente. Não sei como fazia isso, mas podia ficar ali o resto da noite embromando o porteiro com a sua mágica e introduzir nos salões do clube a população da cidade inteira.

Fazia desaparecer tudo que lhe caía nas mãos, e os objetos surgiam nos lugares mais inesperados. Metia um ovo inteiro na boca, como se o tivesse engolido, e o capitão, sentindo brotar no bolso algo estranho, ia apalpar e espatifava num gesto brusco o ovo dentro do paletó.

— Mágica besta. Faz outra que eu te ensino.

Um dia o capitão o desafiou com a sugestão de número inédito:

— Um mágico já engoliu meu anel e depois devolveu.

— Isso é fácil, também sei fazer: me dá o anel.

Tomou o anel do capitão, levou-o à boca e o engoliu.

— Me dá meu anel — protestou o capitão, procurando-o inutilmente nos bolsos.

— Eu engoli. Amanhã devolvo.

Por mais que o capitão reclamasse, afirmava que realmente o engolira, a pedido seu. Eu não poderia jurar — o certo é que só foi devolvido no dia seguinte.

Tamanha era a sua versatilidade no gênero de distração a que se dedicara, que um dia o provocamos a bater a carteira de um desconhecido — especialidade em que também já se revelara um mestre. Aceito o desafio, já em termos de aposta, saímos à rua para escolher a vítima. No café da esquina ele se adiantou abruptamente e foi entrando:

— Com licença.

Deu um esbarrão num sujeito parado à porta, pediu desculpas, depois se acercou de nós exibindo disfarçadamente a carteira:

— Olhem aqui. Agora me paguem.

Restava devolvê-la. Não pretendíamos que a brincadeira fosse às últimas conseqüências, ficando ele com a carteira. Alheio a tudo, o cidadão já se dispunha a sair, quando o tenente mágico o abordou:

— Essa carteira é sua, vou lhe explicar.

O homem não quis saber de explicações. Reteve o tenente pelo braço, chamando-o de ladrão, e começou o bate-boca. Inutilmente procuramos intervir. Um guarda acabou surgindo, tivemos de declinar nossa qualidade de oficiais do Exército. Por pouco não fomos presos assim mesmo: era um desses casos que hoje em dia terminam em pancadaria entre civis e militares, com depredação de delegacias e tudo mais. Pusemos a culpa no capitão e demos o fora.

Suas mágicas atingiram o clímax no dia em que nos revelou a mais extraordinária de suas habilidades: a tal de escapar de cordas e laços, coisas assim. A demonstração consistia no seguinte: depois de amarrado fortemente numa cadeira do quarto, com voltas e mais voltas de uma corda bem segura por muitos nós, era colocado com cadeira e tudo atrás da porta aberta do armário; em menos de dois minutos se desvenci-lharia, mas não podíamos ver como. E realmente fi-cou ali estrebuchando, suando e gemendo, para ao fim de dois minutos, controlados a relógio, saltar da ca-deira. Tão grande foi nosso pasmo, que deu na cabeça do capitão a estúpida vanglória de fazer o mesmo, pe-diu que o amarrássemos como ao outro. Obedecemos — afinal de contas ele era capitão. Pediu que saís-semos do quarto, para tentar escapar longe de nossos olhos. Saímos e fomos jantar. Depois do jantar esque-cemos o hcmem e fomos passear pela cidade. Só tarde da noite nos lembramos e corremos ao hotel, para en-contrá-lo furibundo, tombado ao chão, ainda preso à cadeira, se esgoelando a plenos pulmões e tentando tocar a campainha da parede com o pé.

— Miseráveis. Vocês hão de ver comigo

Não vimos coisa nenhuma. No dia seguinte o te-nente mágico conseguiu o prodígio de fazer desapa-recer para sempre o próprio capitão.

ALBERTINE DISPARUE

CHAMAVA-SE Albertina, mas era a própria Nega Fulô: pretinha, retorcida, encabulada. No primeiro dia me perguntou o que eu queria para o jantar:

— Qualquer coisa — respondi.

Lançou-me um olhar patético e desencorajado. Resolvi dar-lhe algumas instruções: mostrei-lhe as coisas na cozinha, dei-lhe dinheiro para as compras, pedi que tomasse nota de tudo que gastasse.

— Você sabe escrever?

— Sei sim senhor — balbuciou ela.

— Veja se tem um lápis aí na gaveta.

— Não tem não senhor.

— Como não tem? Pus um lápis aí agora mesmo!

Ela abaixou a cabeça, levou um dedo à boca, ficou pensando.

— O que é *lapisaí?* — perguntou finalmente.

Resolvi que já era tarde para esperar que ela fizesse o jantar. Comeria fora naquela noite.

— Amanhã você começa — concluí. — Hoje não precisa fazer nada.

Então ela se trancou no quarto e só apareceu no dia seguinte. No dia seguinte não havia água nem para lavar o rosto.

— O homem lá da porta veio aqui avisar que ia faltar — disse ela, olhando-me interrogativamente.

— Por que você não encheu a banheira, as panelas, tudo isso aí?

— Era para encher?

— Era.

— Uê...

Não houve café, nem almoço e nem jantar. Saí para comer qualquer coisa, depois de lavar-me com água mineral. Antes chamei Albertina, ela veio lá de sua toca espreguiçando:

— Eu tava dormindo... — e deu uma risadinha.

— Escute uma coisa, preste bem atenção — preveni: — Eles abrem a água às sete da manhã, às sete e meia tornam a fechar. Você fica atenta e aproveita para encher a banheira, enche tudo, para não acontecer o que aconteceu hoje.

Ela me olhou espantada:

— O que aconteceu hoje?

Era mesmo de encher. Quando cheguei já passava de meia-noite, ouvi barulho na área.

— É você, Albertina?

— É sim senhor...

— Por que você não vai dormir?

— Vou encher a banheira...

— A esta hora?!

— Quantas horas?

— Uma da manhã.

— Só? — espantou-se ela. — Está custando a passar...

*

— O senhor quer que eu arrume seu quarto?
— Quero.
— Tá.
Quarto arrumado, Albertina se detém no meio da sala, vira o rosto para o outro lado, toda encabulada, quando fala comigo:
— Posso varrer a sala?
— Pode.
— Tá.
Antes que ela vá buscar a vassoura, chamo-a:
— Albertina!
Ela espera, assim de costas, o dedo correndo devagar no friso da porta.
— Não seria melhor você primeiro fazer café?
— Tá.
Depois era o telefone:
— Telefonou um moço aí dizendo que é para o senhor ir num lugar aí buscar não sei o quê.
— Como é o nome?
— Um nome esquisito...
— Quando telefonarem você pede o nome.
— Tá.
— Albertina!
— Senhor?
— Hoje vai haver almoço?
— O senhor quer?
— Se for possível.
— Tá.
Fazia o almoço. No primeiro dia lhe sugeri que fizesse pastéis, só para experimentar. Durante três dias só comi pastéis.

— Se o senhor quiser que eu pare eu paro.

— Faz outra coisa.

— Tá.

Fez empadas. Depois fez um bolo. Depois **fez** um pudim. Depois fez um despacho na cozinha.

— Que bobagem é essa aí, Albertina?

— Não é nada não senhor — disse ela.

— Tá — disse eu.

E ela levou para seu quarto umas coisas, papel queimado, uma vela, sei lá o quê. O telefone tocava.

— Atende aí, Albertina.

— É para o senhor.

— Pergunte o nome.

— Ó.

— O quê?

— Disse que chama Ó.

Era o Otto. Aproveitei-me e lhe perguntei **se** não queria me convidar para jantar em sua casa.

*

Finalmente o dia da bebedeira. Me apareceu bêbada feito um gambá, agarrando-me pelo braço:

— Doutor, doutor... A moça aí da vizinha disse que eu tou beba, mas é mentira, eu não bebi nada... O senhor não acredita nela não, tá com ciúme de nóis!

Olhei para ela, estupefato. Mal se sustinha sobre as pernas e começou a chorar.

— Vá para o seu quarto — ordenei, esticando o braço dramaticamente. — Amanhã nós conversamos.

Ela nem fez caso. Senti-me ridículo como um general de pijama, com aquela pretinha dependurada no meu braço, a chorar.

— Me larga! — gritei, empurrando-a. Tive logo em seguida de ampará-la para que não caísse: — Amanhã você arruma suas coisas e vai embora.

— Deixa eu ficar... Não bebi nada, juro!

Na cozinha havia duas garrafas de cachaça vazias, três de cerveja. Eu lhe havia ordenado que nunca deixasse faltar três garrafas de cerveja na geladeira. Ela me obedecia à risca: bebia as três, comprava outras três.

Tranquei a porta da cozinha, deixando-a nos seus domínios. Mais tarde soube que invadira os apartamentos vizinhos fazendo cenas. No dia seguinte ajustamos as contas. Ela, já sóbria, mal ousava me olhar.

— Deixa eu ficar — pediu ainda, num sussurro. — Juro que não faço mais.

Tive pena:

— Não é por nada não, é que não vou precisar mais de empregada, vou viajar, passar muito tempo fora.

Ela ergueu os olhos:

— Nenhuma empregada?

— Nenhuma.

— Então tá.

Agarrou sua trouxa, despediu-se e foi-se embora.

PAI E FILHO

Vivia com o pai na mesma casa, mas raramente se encontravam. Chegava de madrugada, o velho estava dormindo. O velho saía, deixava o filho dormindo. E assim os dois iam vivendo — o pai se deitando com as galinhas, o filho nunca tendo visto a luz do sol. Um dia, porém, esqueceu-se de fechar a janela ao chegar, e um sol forte de três horas da tarde irrompeu violentamente pelo quarto, inundando tudo de luz. Abriu os olhos, espantado, pulou da cama:

— Socorro! Incêndio! — saiu gritando.

Pai e filho trocavam bilhetes, deixados dentro da compoteira — era o único meio de se entenderem, para a boa ordem da casa:

"Bênção, meu Pai: favor telefonar tinturaria pedindo meu terno".

"Meu filho: Deus te abençoe. Não esqueça deixar dinheiro para o leite".

"Meu Pai, bênção. Leite, que indignidade!", tornava o filho.

E o pai: "Deus te abençoe. Deixa ao menos dinheiro para o terno".

*

Tinha sagrado horror ao leite. Um dia, ao examinar a conta de alguns mil cruzeiros na boate de sempre, tropeçou numa novidade:

— "Copedelete, 50 cruzeiros". O que é "copedelete"?

— "Copo de leite", esclareceu o garçom, solícito, iluminando a conta com a lanterninha elétrica.

— COPO DE LEITE?!

Voltou-se, indignado, para o resto da mesa, perguntou a um por um:

— Quem é que tomou copo de leite aqui? Eu não tomei. Você tomou? Você tomou? Você tomou?

De novo para o garçom:

— Ninguém tomou. E a 50 cruzeiros! Isso é um roubo! Cambada de ladrões!

Não podia mais de irritação:

— Quer saber de uma coisa? Copo de leite é a...

Vários protestaram: havia senhoras presentes. Encontrou uma fórmula:

— É aquela senhora que fez aquilo — e rasgou a nota: — Não pago. Vocês vão todos para aquela parte. São todos filhos daquela senhora... Chame o gerente.

Em vão o gerente tentou convencê-lo de que fora um lamentável engano. Mesmo porque, havia muito que os vales dele se acumulavam lá no caixa...

— Pois traga tudo. Vamos acertar isso hoje.

O gerente voltou com uma pilha de vales:

— Aqui está: doze mil, trezentos... doze mil cruzeiros, para arredondar.

— Não arredonda coisa nenhuma. Desconta os copos de leite.

Acabou sugerindo rachar o "prejuízo":

— Olha aí: vales antigos, sem assinatura minha... Todo mundo bebe, na hora debitam na minha conta. Não pago. Copo de leite... A metade ou nada.

O gerente pensou rapidamente: na verdade, tinha pouca esperança de receber tudo aquilo. Salvaria a metade... Acabou concordando, e a uma ordem do freguês, rasgou todos os vales.

— Muito bem — disse ele, e em vez de puxar a carteira, puxou a caneta: — Faça agora um vale de seis mil cruzeiros, pode incluir a conta de hoje. Menos o copo de leite.

*

"Bênção, meu Pai. Situação difícil: preciso urgente de quarenta mil cruzeiros..."

"Deus o abençoe, meu filho. Dinheiro não é tudo nesta vida. Você já me deve sessenta... P.S.: tomei a liberdade de usar uma gravata sua".

Marcaram encontro para acertar as finanças da família. Às cinco horas da tarde, num bar da cidade.

— Como vai, meu pai? Aceita um uísque?

— Aceito, obrigado. Como vão as coisas, meu filho?

— Passei lá no Banco. O senhor precisa de sessenta... Vou lhe pagar.

— Como?! — assustou-se o pai, e engoliu o caroço de uma azeitona.

— Muito simples: eu preciso de quarenta. Faço uma letra de cem... Só que o senhor tem de ser meu avalista.

— E fica tudo em família...

— Em família — prosseguiu o filho, ordenando outro uísque. — Mas acontece que já tenho lá um papagaio em meu nome, de modo que sugiro isso mesmo, só que ao contrário: o senhor faz a letra, eu avalizo.

— Muito bem — concordou o pai. — Mas, e se não aceitarem seu aval?

— Pensei também nisso. O melhor então é descobrirmos outro avalista. O senhor tem alguma sugestão?

Fizeram a letra e foram vivendo. "Meu filho, você me passou a perna", queixou-se o pai num bilhete. E o filho: "Dinheiro não é tudo nesta vida..." Mas às vezes o surpreendia: "Papai, bênção. Amanhã é seu aniversário, me acorde para jantarmos juntos. Deixei uma garrafa de champanha na geladeira...". Ou então: "Quando cheguei o senhor estava tossindo muito. Marque uma consulta com o Dr. Argeu". "Não acredito no Dr. Argeu", tornava o pai, e demonstrava também preocupação com o filho: "Desde que sua Mãe morreu..." "Esta vida que você leva..." De vez em quando se indignava: "Fui tomar banho e não encontrei toalha. Falta uma mulher nesta casa!" Mas protestou, no dia em que o filho o acordou ao chegar: "Meu pai, estive pensando, estou com vontade de me casar". O pai se sentou na cama: "Casar? A esta hora? Você está bebendo demais, meu filho". "Não é isso, meu pai: é que eu... Tem uma moça aí..." O pai tornou a deitar-se: "Desgraça pouca é bobabem: pode casar, que eu vou morar num hotel".

Não casou, e sua vida começou a desandar. Dera para não dormir! O pai se levantava e o encontrava vestido à mesa do café:

— Já ou ainda? — perguntava.

— Ainda — murmurava o filho, olhos perdidos na toalha da mesa, empurrando com o dedo um farelo de pão. O pai ficava apreensivo:

— Quede a tal moça?

— Ah... — fazia o filho apenas e se erguia da mesa, tornava a sair.

Até que um dia não mais apareceu. Deixara um bilhete, o último bilhete: "Bênção, meu Pai. Me perdoe. Adeus".

O pai, desgostoso, mudou-se para um hotel.

SEXTA-FEIRA

ERAM onze horas da noite de Sexta-Feira da Paixão e eu caminhava sozinho por uma rua deserta de Ipanema, quando tive a gelada sensação de que alguém me seguia. Voltei-me e não vi ninguém.

Prossegui a caminhada e foi como se a pessoa ou a coisa que me seguia tivesse se detido também, agarrada à minha sombra, e logo se pusesse comigo a caminhar.

Tornei a olhar para trás, e desta vez confirmei o pressentimento que tivera, descobrindo meus silencioso seguidor. Era um cão.

A poucos passos de mim, sentado sobre as patas junto à parede de uma casa, ele esperava que eu prosseguisse no meu caminho, fitando-me com olhos grandes de cão. Não sei há quanto tempo se esgueirava atrás de mim, e nem se trocaria o rumo de meus passos pelos de outro que comigo cruzasse. O certo é que me seguia como a um novo dono e me olhava toda vez que me detinha, como se buscasse no meu olhar assentimento para a sua ousadia de querer-me. No entanto, era um cão.

Associei a tristeza, que pesava no luto da noite, ao silêncio daquele bicho a seguir-me, insidioso, para onde eu fosse e tive medo — medo do meu destino empenhado ao destino de um mundo responsável naquele dia pela morte de um Deus ainda não ressuscitado. Senti que acompanhava o rumo de meus pés no asfalto o remorso na forma de um cão, e o cansaço de ser homem, bicho miserável, entregue à própria sorte depois de ter assassinado Deus e Homem Verdadeiro. Era como se aquele cão obstinado à minha cola denunciasse em mim o anátema que pesava na noite sobre a humanidade inteira pelo crime ainda não resgatado — e meu desamparo de órfão, e a consciência torturada pelas contradições desta vida, e todo o mistério que do bojo da noite escorria como sangue derramado, para acompanhar-me os passos, configurado em cão. E não passava de um cão.

Um cão humilde e manso, terrível na sua pertinácia de tentar-me, medonho na sua insistência em incorporar-se ao meu destino — mas não era o demônio, não podia ser o demônio: perseverava apenas em oferecer-me a simples fidelidade própria dos cães e nada esperava em troca senão correspondência à sua fome de afeição. Uma fome de cão.

Antes seria talvez algum amigo nele reencarnado e que desta maneira buscava olhar-me de um outro mundo, tendo escolhido para transmitir-me a sua mensagem de amor justamente a noite em que a morte oferecia ao mundo a salvação pelo amor. E a simples lembrança do amor já me salvava da morte, levando-me à inspiração menos tenebrosa: larguei o pensamento a distrair-se com a idéia da metempsicose, pus-me a percorrer mentalmente a lista de amigos mortos, para descobrir o que me poderia estar falando pelo olhar daquele cão. Mas era apenas um cão.

E tanto era um cão que, ao atingir a esquina, deixou-se ficar para trás, subitamente cauteloso, tenso, ante a presença do lado oposto da rua, de dois outros cães. Detive-me à distância, para assistir à cena. Os dois outros cães também o haviam descoberto e vinham se aproximando. Ele aguardava, na expectativa, já esquecido de mim. Os três cães agora se cheiravam mutuamente, sem cerimônia, naquela intimidade primitiva em que o instinto prevalece e o mais forte impõe tacitamente o seu domínio. Depois me olharam em desafio até que eu me afastasse, e meu breve companheiro se deixou ficar por ali, dominado pela presença dos outros dois, na fatalidade atávica que fazia dele, desde o princípio dos tempos, um cão entre cães.

E agora era eu que, animal sozinho na noite, tinha de prosseguir sozinho no meu confuso itinerário de homem, sozinho, à espera da ressurreição do Deus morto e sem merecê-lo, e sem rumo certo, e sem ao menos um cão.

ÍNDICE

189

ÍNDICE

FERNANDO (Tavares) SABINO nasceu em Belo Horizonte, a 12 de outubro de 1923. Fez o curso primário no Grupo Escolar Afonso Pena e o secundário no Ginásio Mineiro, em Belo Horizonte. Aos 13 anos escreveu seu primeiro trabalho literário, uma história policial publicada na revista Argus, da polícia mineira.

Passou a escrever crônicas sobre rádio, com que concorria a um concurso permanente da revista Carioca, do Rio, obtendo vários prêmios. Uniu-se logo a Hélio Pellegrino, Otto Lara Resende e Paulo Mendes Campos em intensa convivência que perduraria a vida inteira. Entrou para a Faculdade de Direito em 1941, terminando o curso em 1946 na Faculdade Federal do Rio de Janeiro.

Ainda na adolescência publicou seu primeiro livro, Os Grilos Não Cantam Mais (1941), de contos. Mário de Andrade escreveu-lhe uma carta elogiosa, dando início à fecunda correspondência entre ambos. Anos mais tarde, publicaria as cartas do escritor paulista em livro, sob o título Cartas a um Jovem Escritor (1982). Em 1944 publica a novela A Marca e muda-se para o Rio. Em 1946 vai para Nova York, onde fica dois anos, que lhe valeram uma preciosa iniciação na leitura dos escritores de língua inglesa. Neste período escreveu crônicas semanais sobre a vida americana para jornais brasileiros, muitas delas incluídas em seu livro A Cidade Vazia (1950). Iniciou em Nova York o romance O Grande Mentecapto, que só viria retomar 33 anos mais tarde, para terminá-lo em dezoito dias e lançá-lo em 1976 (Prêmio Jabuti para Romance, São Paulo, 1980), com sucessivas edições. Em 1989 o livro serviria de argumento para um filme de igual sucesso, dirigido por Oswaldo Caldeira.

Em 1952 lança o livro de novelas A Vida Real, no qual exercita sua técnica em novas experiências literárias, e em 1954

Lugares-Comuns – Dicionário de Lugares-Comuns e Idéias Convencionais, *como complemento à sua tradução do dicionário de Flaubert. Com* O Encontro Marcado *(1956), primeiro romance, abre à sua carreira um caminho novo dentro da literatura nacional.*

Morou em Londres de 1964 a 1966 e tornou-se editor com Rubem Braga (Editora do Autor, 1960, e Editora Sabiá, 1967). Seguiram-se os livros de contos e crônicas O Homem Nu *(1960),* A Mulher do Vizinho *(1962, Prêmio Fernando Chinaglia do Pen Club do Brasil),* A Companheira de Viagem *(1965),* A Inglesa Deslumbrada *(1967),* Gente I e II *(1975),* Deixa o Alfredo Falar! *(1976),* O Encontro das Águas *(1977),* A Falta que Ela me Faz *(1980) e* O Gato Sou Eu *(1983). Com eles veio reafirmar as suas qualidades de prosador, capaz de explorar com fino senso de humor o lado pitoresco ou poético do dia-a-dia, colhendo de fatos cotidianos e personagens obscuros verdadeiras lições de vida, graça e beleza.*

Viajou várias vezes ao exterior, visitando países da América, da Europa e do Extremo Oriente e escrevendo sobre sua experiência em crônicas e reportagens para jornais e revistas. Passa a dedicar-se também ao cinema, realizando em 1972, com David Neves, em Los Angeles, uma série de minidocumentários sobre Hollywood para a TV Globo. Funda a Bem-te-vi Filmes e produz curtas-metragens sobre feiras internacionais em Assunção (1973), Teerã (1975), México (1976), Argel (1978) e Hannover (1980). Produz e dirige com David Neves e Mair Tavares uma série de documentários sobre escritores brasileiros contemporâneos.

Publicou ainda O Menino no Espelho *(1982), romance das reminiscências de sua infância,* A Faca de Dois Gumes *(1985), uma trilogia de novelas de amor, intriga e mistério,* O Pintor que Pintou o Sete, *história infantil baseada em quadros de Carlos Scliar,* O Tabuleiro de Damas *(1988), trajetória do menino ao homem feito, e* De Cabeça para Baixo *(1989), sobre "o desejo de partir e a alegria de voltar" – relato de suas andanças, vivências e tropelias pelo mundo afora...*

Em 1990 lançou A Volta por Cima, *coletânea de crônicas e histórias curtas. Em 1991 a Editora Ática publicou uma edição de 500 mil exemplares de sua novela "O Bom Ladrão" (constante da trilogia* A Faca de Dois Gumes*), um récorde de tiragem em nosso país. No mesmo ano é lançado seu livro* Zélia, Uma Paixão. *Em 1993 publicou* Aqui Estamos Todos Nus, *uma trilogia de ação, fuga e suspense, da qual foram lançadas em separado, pela Editora Ática, as novelas "Um Corpo de Mulher", "A Nudez da Verdade" e "Os Restos Mortais". Em 1994 foi editado pela Record* Com a Graça de Deus, *"leitura fiel do Evangelho, segundo o humor de Jesus". Em 1996 relançou, em edição revista e aumentada,* De Cabeça para Baixo, *relato de suas viagens, e* Gente, *encontro do autor ao longo do tempo com os que vivem "na cadência da arte". Também em 1996, a Editora Nova Aguilar publicou em 3 volumes a sua* Obra Reunida. *Em 1998 a Editora Ática lançou, em separado, a novela "O Homem Feito", do livro* A Vida Real, *e* Amor de Capitu, *recriação literária do romance* Dom Casmurro, *de Machado de Assis. E ainda em 1998, além de* O Galo Músico, *"contos e novelas da juventude à maturidade, do desejo ao amor", a Record editou, com grande sucesso de crítica e de público, o livro de crônicas e histórias* No Fim Dá Certo – *"se não deu certo é porque não chegou ao fim" e em 1999,* A Chave do Enigma. *No mesmo ano foi agraciado com o Prêmio Machado de Assis da Academia Brasileira de Letras pelo conjunto de obra.*

Seja um Leitor Preferencial Record
e receba informações sobre nossos lançamentos.
Escreva para
RP Record
Caixa Postal 23.052
Rio de Janeiro, RJ – CEP 20922-970
dando seu nome e endereço
e tenha acesso a nossas ofertas especiais.

Válido somente no Brasil.

Ou visite a nossa *home page*:
http://www.record.com.br

Impresso no Brasil pelo
Sistema Cameron da Divisão Gráfica da
DISTRIBUIDORA RECORD DE SERVIÇOS DE IMPRENSA S.A.
Rua Argentina 171 – Rio de Janeiro, RJ – 20921-380 – Tel.: 585-2000